U0358754

宝贝，吃辅食啦

4~12个月婴儿分阶辅食喂养书

黄惠珍 著

人民东方出版传媒
東方出版社

序言 FOREWORD

宝贝，这些泥糊对你很重要喔

打算写这本书的时候，儿子常坐在身边问我：“妈妈，我刚出生的时候真的是吃这些泥糊长大的吗？”我笑着回答说：“是呀，不过是在你出生4个月之后。宝贝，这些泥糊对那时的你可是很重要的喔。”

看着依偎在我身旁活蹦乱跳的“小老虎”，我的记忆仿佛也回溯到宝贝第一次吃辅食时的情景——4个月大坐在小床上的宝贝，第一次吃到我熬制的麦糊，吃得满嘴都是，却一副得意洋洋的表情，眼睛里充满“真好吃，我还想要”的信息；等到7个月时，鱼粥太烫正在晾凉，他急得抓住我的袖子、面红耳赤地叫着，催促着我快一点喂他；8个月大时，宝贝因为长牙，喂食的时候汤匙会被他用力咬住不放，而我总要哄逗他开心，他才会松口；待到宝贝快满周岁时，迫不及待地用双手去探索他所看到的世界，吃饭时往往稍不注意，就会把饭菜弄得乱七八糟，哪儿都是。这时候，要让他乖乖地坐好吃完饭，似乎是天方夜谭，才放入口中的食物一转眼便被他压平在手上，或者调皮地吐在桌子上，甚至得跟他玩捉迷藏的游戏，才能勉强地喂他一两口……

相信这也是许多妈妈们都曾有过的经历。时间稍纵即逝，喂养孩子的过程，一路走来有苦有笑，如今想来却都是那么美好。在宝贝4～5个月大时，光靠妈妈的母乳已很难满足成长发育需要，尤其当宝贝看到大人吃饭想伸手去抓时，就是需要添加辅食的重要信号。市面上尽管有多种多样的辅食产品，但终究亲手给孩子制作的辅食，由于了解全过程才是最放心的。我在写这本书的时候，曾专门询问过台湾省行政院卫生署基隆医院的营养师张皇瑜和杨惠乔大夫，请她们提出宝贵的专业意见，因此书中列出的给宝贝的辅食菜单都是值得信赖的。

我想这本书，既包含我个人的辅食喂养心得，也可以给初当妈妈的你在添加辅食时，提供更多的选择。制作辅食其实并不麻烦，能让4～12个月的宝贝吃到妈妈亲手制作的果泥、蔬菜泥、米糊和果汁，不仅天然新鲜，绝对还是“无添加”和纯天然的。只需用几分钟的时间来准备，宝贝就能吃到营养美味的辅食。还可以让宝贝用他灵活的小手来点餐，让小小主人翁体验到吃饭的乐趣。将“麻烦的喂食”变成一种轻松活泼的亲子互动，何乐而不为呢？

宝贝，该吃辅食啦，今天你想吃点什么呢？

黄惠玲

CONTENTS 目录

喂辅食之前，妈咪主厨必修的功课

舌尖上的营养学

——宝贝成长必需的六大营养素 …… 002

准备充分再下厨

——给宝贝喂辅食的必要性及基本原则 …… 012

新鲜的食材这样用

——四大类食材营养成分及做法须知 …… 021

这些表格要记牢

—— 4～12个月宝贝分阶段辅食喂养建议 …… 024

不仅亲自下厨，还要做宝贝的私人药膳师 …… 028

第二章 4～6个月初段流质辅食菜单

4～6个月宝贝成长备忘录 …… 040

4～6个月宝贝辅食菜单 …… 046

白米汤 …… 048
自制白米糊 …… 049
婴儿米糊 …… 049
婴儿麦糊 …… 050
柳橙米汤 …… 050
雪梨米汤 …… 051
番石榴米汤 …… 051
豌豆米糊 …… 052
胡萝卜米糊 …… 053
葡萄汁米糊 …… 054
苹果汁麦糊 …… 054
苹果汁 …… 055
番茄汁 …… 056
柳橙汁 …… 056
水蜜桃汁 …… 057
葡萄汁 …… 057
小白菜汁 …… 058
菠菜汁 …… 059
菠菜米汤 …… 059
苋菜汁 …… 060

妈咪主厨的辅食喂养日志（一） …… 061

7～9个月中段半流质辅食菜单

7～9个月宝贝成长备忘录 …… 064

7～9个月宝贝辅食菜单 …… 070

大骨汤 …… 072
蔬菜浓汤 …… 074
鸡骨高汤 …… 075
鲜鱼高汤 …… 076
哈密瓜汁 …… 077
奇异果泥 …… 077
香蕉泥 …… 078
木瓜泥 …… 078
火龙果泥 …… 079
糙米米浆 …… 080
鸡肝泥 …… 081
豌豆泥 …… 082
马铃薯泥 …… 082
番薯叶泥 …… 084
菠菜泥 …… 085
蛋黄泥 …… 086
豆腐泥 …… 087
鳕鱼泥 …… 088
吻仔鱼马铃薯泥 …… 089
番茄吐司泥 …… 090
蔬菜鸡肉麦片糊 …… 090
南瓜泥 …… 092
白粥（稀） …… 093
玉米碎肉粥 …… 094
绿豆粥 …… 094
菠菜牛肉面 …… 096
鸡肉花椰菜面 …… 097
鲑鱼面 …… 098
小鱼丝瓜面 …… 098

妈咪主厨的辅食喂养日志（二） …… 100

第四章 10～12个月高段固体辅食菜单

10～12个月宝贝成长备忘录 ……102

10～12个月宝贝辅食菜单 ……108

白粥（浓） ……110
四季豆粥 ……111
猪肝蔬菜粥 ……112
滑蛋牛肉粥 ……113
香菇蔬菜面疙瘩 ……114
芋头米粉汤 ……115
乌龙面 ……116
肉酱通心粉 ……117
水果拌饭 ……118
蒸蛋羹 ……120
豆腐肉丸 ……121
番茄拌旗鱼丁 ……122
莓干烤苹果 ……123
青豆牛奶鸡肉 ……124
冬瓜煮碎肉 ……124
哈密瓜奶冻 ……126
芋头豆花 ……127

妈咪主厨的辅食喂养日志（三） ……128

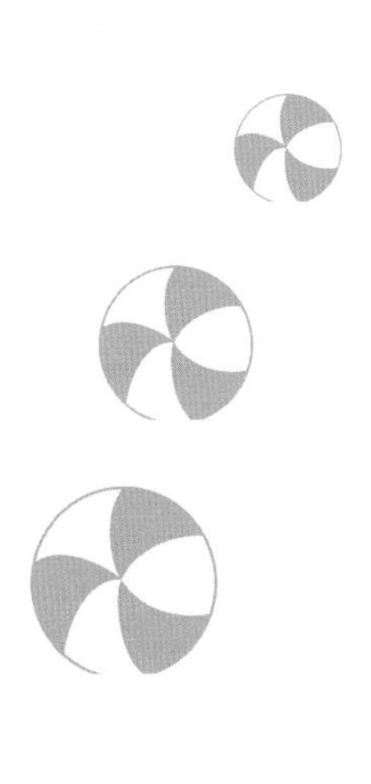

第五章 10～12个月自选茶点套餐

给宝贝制作茶点的小常识 ……130

10~12个月营养美味的茶点组合 ……132

红柚汁 ……134

小番茄汁 ……135

甜李汁 ……136

西瓜柳橙汁 ……137

雪梨汁 ……138

奇异果汁 ……138

樱桃汁 ……140

西洋梨汁 ……141

甜李红柚汁 ……141

草莓汁 ……142

法式吐司 ……143

面包条 ……143

蛋黄布丁 ……144

蔬菜蛋黄布丁 ……144

小饼干 ……146

烤地瓜 ……148

喂辅食之前，妈咪主厨必修的功课

- 宝贝成长必需的六种营养素
- 新鲜的食材如何挑选及使用
- 4～12个月宝贝如何分阶喂养
- 不同体质宝贝有哪些忌口的食物

舌尖上的营养学
——宝贝成长必需的六大营养素

从宝贝出生到满一周岁，身体各项机能与器官，包括免疫系统、神经系统、骨骼肌肉、消化系统、感觉系统等等，均处于迅速发育的阶段。想要宝贝健康成长不生病，就必须打下饮食营养完善的基础，尤其此阶段宝贝的脑组织正蓬勃发展，妈妈需要重视宝贝的营养摄入，让宝贝的智能与体力都能正常发育。认识那些最常见的营养素，是给宝贝吃好和吃对的第一步，也是每个妈咪主厨必修的功课之一。

宝贝生命活动中所需的能量，主要来源于食物中的营养素。生活中常见的动植物性食物中，宝贝成长必需的营养素可分为六大类：乳糖、蛋白质、脂肪、水分、维生素和矿物质。

1. 乳糖（Lactose）

乳糖是婴幼儿生长发育的重要营养物质之一，对青少年智力发育十分重要，

小贴士

婴儿每天需要多少热量

刚出生至4个月大的宝贝，每天每公斤约需摄入110～120卡的热量；出生6个月至一周岁的宝贝，每天每公斤约需摄入100卡的热量。假如宝贝是两个月大、体重4.5公斤，那么每天所需热量约为4.5×120＝540卡，妈妈可据此估算喂养宝贝主食的量。

假如上面的这个宝贝是纯母乳喂养，每100毫升母乳中所含热量约为70卡，那么每天应提供800毫升的母乳，才能满足宝贝当天热量所需；假如是用婴儿配方奶粉喂养，则需按奶粉罐或包装盒上说明的冲调比例冲泡，保证宝贝每天的热量所需。

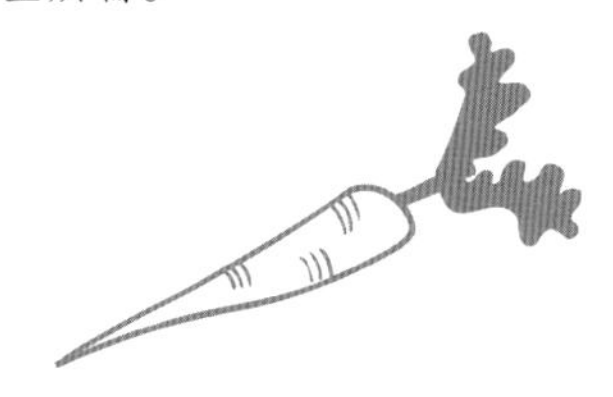

小贴士

乳糖不受耐症

又称“乳糖消化不良”，是指人体内不产生分解乳糖的乳糖酶的状况。它是一种先天性的遗传性疾病，多出现在亚洲地区，在新生儿中容易出现。婴儿肠道中分泌分解乳糖的酶不足，在缺乏乳糖酶的情况下，摄入的乳糖不能被消化吸收进血液，而是滞留在肠道内。肠道细菌发酵分解乳糖的过程中，会产生大量气体，造成腹胀、放屁、腹泻等症状。当新生儿出现类似症状时，妈妈应当及时带宝贝去医院进行检查，查明是否患有此症状。

特别对未满周岁的新生婴儿是不可缺少的。在自然界中只有哺乳类动物的奶中含有乳糖，各类植物性食物中是不含乳糖的。母乳或婴儿配方奶中所含的糖分均为乳糖，这也是宝贝最容易消化的糖类。乳糖的主要功能是为婴幼儿的生长发育、新陈代谢、组织合成及维持正常体温等提供大量的热量，尤其小儿对糖的分解消化、吸收和利用都比成年人旺盛。母乳中含乳糖约为7%，牛奶中含乳糖约为4%。母乳中的乳糖不但含量比牛奶、羊奶高而稳定，且不会因妈妈摄入食物的变化而出现变化。

此外，乳糖在肠道分解后还可增加钙、磷、镁的吸收率，促进肠内有益菌增生。每100毫升母乳中所含乳糖约为7克；市面上常见的婴儿配方奶粉的乳糖含量要比母乳中的少，当然也有针对乳糖不受耐症婴儿推出的不含乳糖的配方奶粉。

2. 蛋白质（Protein）

宝贝身体中的每一个细胞和所有重要组成部分都有蛋白质参与。作为建构身体组织与细胞的重要物质，一周岁前宝贝生长所必需的氨基酸（构成动物所需蛋白质的基本物质），从母乳中即可摄取。宝贝从出生后到一周岁，特别是0～6个月是脑细胞迅猛增长的时期。到一周岁，宝贝的脑细胞增殖基本完成，这段时期宝贝对蛋白质的摄入量尤为重要。

刚出生至6个月大的宝贝，每天每公斤所需蛋白质为2.2～2.4克；出生6～9个月的宝贝，每天每公斤所需蛋白质为

小贴士

控制每日营养素摄入，对宝贝成长意义重大

许多老一辈家长（如孩子的爷爷奶奶），会认为“按照营养素指标喂养多麻烦，记得每天给孩子喝几杯母乳或者喂几勺奶粉就行，既方便又省事”，很多年轻的妈妈也对此持相同观点。

老一辈家长所传下来的喂养经验，在很大程度上都与婴幼儿营养素摄入原则相符，但由于喂养时不注意控制摄取量，很容易使孩子摄入营养过多，喂成了“小胖墩”。在如今提倡精细化喂养的前提下，想要让宝贝最大限度地健康成长，就必须严格控制每日营养素的摄入量，以免造成摄入过量或不足。这也是妈咪主厨在给孩子制作辅食之前必须保证的一点。

2.0克；出生9个月至一周岁的宝贝，每天每公斤所需蛋白质为1.7克。婴儿配方奶粉中每100克的蛋白质含量通常比母乳要高，这是因为母乳中蛋白质的吸收率较婴儿配方奶粉高，所以婴儿配方奶粉会增加蛋白质含量以弥补吸收率较低的问题。

3. 脂肪（Fat）

食物中的油脂主要是油和脂肪，一般把常温下的液体形态称为油，而把常温下的固体形态称为脂肪。脂肪分为“不饱和”与“饱和”两种，动物脂肪含饱和脂肪酸居多，在室温下呈固态；植物油则含不饱和脂肪酸居多，在室温下呈液态。

脂肪中含有帮助宝贝脑部与中枢神经系统发育、强化微血管与细胞结构及预防湿疹所必需的两种脂肪酸：亚麻酸与亚油酸。这两种不饱和脂肪酸是维持宝贝正常生长所需，但又不能自身合成的，需要通过饮食进行添加。婴儿配方奶粉中的亚麻酸与亚油酸的比例约为1：10，这是普遍被营养学会公认的适宜比例。当然宝贝也可以通过妈妈的乳汁获取这两种重要的脂肪酸。

这里有必要重点介绍一种对宝贝智力和视力发育至关重要的不饱和脂肪酸，那就是DHA，学名为“二十二碳六烯酸”。DHA被营养学专家称为“脑黄金”，属于Omega-3不饱和脂肪酸家族中的重要成员，是神经系统细胞生长及维持的一种重要元素，是大脑和视网膜的重要构成成分，主要起到促进婴儿大脑正常发育、促进视网膜光感细胞的成熟、提高记忆力及学习能力等作用。对4～12个月的宝贝来说，母乳中的DHA的含量尤其丰富，尤其当坐月子期间妈妈吃鱼较多时；营养配方奶粉中通常也含DHA，只不过所添加DHA的含量较低；给孩子制作辅食，可适量吃点海鱼（注意宝贝是否对其过敏）；还可以买专门补充DHA的食品，如海藻油中提取的DHA补充剂，几乎不含EPA（二十碳五烯酸），可避免婴幼儿出现性早熟的可能性。

4. 水分（Water）

水分约占婴儿体重的70%，主要作用是帮助宝贝进行消化、输送养分、调节体温、代谢废物等。婴儿的基础代谢率较高，需要代谢的废物也较多，加上肾脏功能还没有发育成熟，更需要大量的水分来帮助排泄废物。水分的不足与流失对宝贝都是极大的伤害，因此妈妈应当随时随地注意给宝贝补水。

越小的宝贝活动量越低，通常依照正常浓度冲泡的主食已能保证水分充足，给宝贝喝水主要可以清洁口腔，预防奶瓶性龋齿，若宝贝不怎么想喝就不必勉强。

小贴士

一周岁之前的宝贝如何正确补水

4个月以前的宝贝，每次哺乳后喝一两口水已足够，每次大约20～30毫升；6个月之后，宝贝每天需要保证喝50～100毫升水，可分几次喂、不固定。判断宝贝每日饮水量是否足够，可通过宝贝每日排尿次数及尿的颜色来判定。

一周岁之前的宝贝饮水原则是：选择在两次喂奶或喂食的间隙饮水；避免在给宝贝喂奶之前饮水；不带甜味、温度适中的温白开是最适宜宝贝饮用的；尽量不给宝贝喝含防腐剂的果汁饮料，可选取天然瓜果自行榨汁，稀释后再给宝贝饮用。

宝贝成长所需营养素	对宝贝成长的重要功效	食物来源
乳糖	为宝贝的身体供给热量，维持正常体温；促进宝贝器官、四肢、骨骼肌肉的生长发育，维持新陈代谢、组织合成；维护宝贝脑细胞发育和整个神经系统健全；使宝贝肠道内产生乳酸菌，抑制肠道内有害细菌的繁殖；促进宝贝对钙的吸收等。	针对4~12个月的宝贝，首选是母乳；市面上正规的婴儿配方奶粉，都可满足宝贝对乳糖的营养所需。
蛋白质	维持宝贝的生长发育，尤其是脑细胞的生长和智力发展；提升免疫机能；参与合成红血球等。	宝贝最需要的优质蛋白质，来自蛋类、奶类、肉类、鱼类、豆类、玉米、西蓝花等。
脂肪	为宝贝体内贮存能量，提供热量；保护内脏，维持体温；协助脂溶性维生素的吸收；参与宝贝身体各方面的代谢活动等。	烹调用动植物食材本身所含的油脂，如果仁、各种肉类、食用油等。
DHA（二十二碳六烯酸）	被营养学专家称为“脑黄金”，属于Omega-3不饱和脂肪酸家族中的重要成员，主要起到促进婴儿大脑正常发育、增进视力、促进视网膜光感细胞的成熟、适应黑暗光线、提高记忆力及学习能力等作用，也可提高免疫力。	动物类食品中，DHA含量高的是海鱼类，如金枪鱼、沙丁鱼、鱿鱼、鲑鱼、旗鱼、黄花鱼、带鱼等，每100克海鱼中DHA含量可达1000毫克以上。植物类食品中，主要是干果类，如核桃、杏仁、花生、芝麻等。
水分	调节宝贝的体温；保证器官、组织的正常生长；协助消化、吸收和运输营养物质，参与排泄体内废物；补充宝贝对矿物质的需要（水中含有一定量矿物质）；滋润宝贝娇嫩的皮肤、关节，避免器官间摩擦受损；协助肺部正常呼吸等。	首选不带甜味的白开水；不宜给宝贝喝带有甜味的饮料，除非宝贝腹泻时，可给宝贝适量的富含电解质的果汁。

注1：本表格的“食物来源”主要针对4~12个月的宝贝，为妈咪主厨制作辅食提供参考。

5. 维生素（Vitamins）

又称“维他命”，是宝贝生长代谢所必需的微量有机化合物，能调节生理机能、促进新陈代谢，对宝贝的发育和健康有着极其重要的作用，一般都是由食物中自然摄取。目前已发现的维生素有数十种，常见的有维生素A、维生素B族（B_1、B_2、B_6、B_{12}等）、维生素C、维生素D、维生素E、维生素K。

不同维生素对宝贝成长所起的作用各不相同，例如维生素A有助于宝贝的视力发育；维生素B族可辅助宝贝体内的营养素转换，让宝贝更有活力；维生素D有助于维持宝贝血液中的钙保持正常浓度；维生素E可预防宝贝贫血；维生素K可维持宝贝凝血功能正常。还有一类属于维生素B族的复合体，比如叶酸、牛磺酸，对宝贝的成长也有很大帮助。

宝贝成长所需维生素	对宝贝成长的重要功效	食物来源
维生素A	促进宝贝牙齿和骨骼正常生长；维持上皮组织正常，抵抗感染；避免宝贝眼睛干涩，使眼睛适应光线的变化等。	动物肝脏、蛋黄、奶类、深绿色及红黄色蔬菜水果等。
维生素B_1	增进宝贝的乳糖代谢；使宝贝注意力集中，增强记忆力及活力；缺乏时宝贝会出现焦躁、易怒、晚上睡不着觉等症状。	蛋黄、肉类、动物肝脏、全谷类、奶类等。
β-胡萝卜素	在进入消化器官后，可转化成维生素A，是目前最安全的补充维生素A的产品。主要作用是维持眼睛和皮肤的健康，防止宝贝出现夜盲症、皮肤粗糙等状况，使机体免受自由基的伤害。	主要存在于深绿色或红黄色的蔬菜水果中，如胡萝卜、西蓝花、菠菜、空心菜、甘薯、芒果、哈密瓜、杏、甜瓜等。越是色彩鲜艳的水果或蔬菜，所含β-胡萝卜素就越丰富。
维生素B_2	缺乏时宝贝易引发口角炎症、脂漏性皮肤炎、眼睛会出现怕光及发痒等症状。	奶类、动物肝脏、酵母等。

宝贝成长所需维生素	对宝贝成长的重要功效	食物来源
泛酸（维生素B_5）	参与宝贝体内的抗体形成；协助脂肪、糖类与蛋白质代谢等。	广泛存在于动物性食品中，如动物肝脏、鱼肉、瘦猪肉、蛋类、牛奶，但容易随着烹饪加工过程而逐渐流失。
维生素B_6	促进红血球与蛋白质正常代谢；缺乏时宝贝会有贫血、抽筋等症状。	全麦食品、小麦胚芽、动物肝脏等。
维生素B_{12}	促进宝贝正常生长；协助糖类与脂肪代谢；缺乏时宝贝容易疲劳、贫血及消化不良等。	主要存在于动物性食品中，如贝类、动物肝脏、鱼类、瘦猪肉；植物性食品仅存在于藻类、啤酒酵母中。
维生素C	形成宝贝骨骼、牙齿生长所需的胶原；有助于伤口愈合，提升宝贝免疫力；协助铁的吸收及叶酸的代谢，进而预防贫血。	柑橘类水果、深绿色蔬菜、草莓、番茄、番石榴、奇异果、木瓜、芒果等。
维生素D	协助和促进宝贝对钙、磷的吸收及利用；对宝贝的骨骼和牙齿正常发育有帮助。	香菇、鱼肝油、蛋黄、鱼类、动物肝脏、奶类等。
维生素E	参与细胞膜的抗氧化作用，维持细胞的完整性；防止溶血性贫血，促进正常凝血；改善宝贝的运动机能。	植物油、小麦胚芽、大豆食品、全谷类等。
维生素K	血液凝固所必需的营养素。	红花植物油、深绿色蔬菜等。
叶酸	提高宝贝的造血功能，预防贫血与生长迟缓，避免宝贝产生烦躁。	深绿色蔬菜、豆类、动物肝脏、瘦猪肉等。
牛磺酸	协助宝贝的视网膜及脑部发育。	贝类、鱼类、虾类、章鱼、乌贼等。

注1：0～4个月宝贝所需的营养素，均可从母乳或营养配方奶中获得满足。

注2：本表格的“食物来源”主要针对0～6岁的宝贝，为妈咪主厨制作辅食提供参考。

6. 矿物质（Mineral）

又称“无机盐”，是人体内无机物的总称。人体的重量中，96%是有机物和水分，4%是无机物。人体内约有50多种矿物质存在于无机物中，大致可分为“常量元素”和“微量元素”两大类。其中，钙、磷、镁、钾、钠等人体必需的矿物质称为“常量元素”；而铁、锌、铜、钴、锰、硒、碘等人体必需的矿物质称为“微量元素”。

对于4～12个月宝贝来说，最需要补充的矿物质就是铁，这是由于宝贝在胎儿期从妈妈体内所摄取的铁元素在宝贝4~6个月后会逐渐用尽，而铁元素是血红素中携带氧气的重要元素，也是促进免疫力与智能正常的重要物质，宝贝如果缺铁的话，很容易手脚冰冷，甚至出现生理性贫血。

除了铁，钙是另一个宝贝所需的重要矿物质，能够促进骨骼和牙齿的发育。“钙磷比”是影响宝贝钙磷吸收率的重要原因，钙磷比为1.5：1，比较适合4～12个月宝贝，若比例不当，就会影响钙的吸收和利用。在购买营养配方奶粉时，应重点关注一下奶粉成分中的钙磷比。

宝贝成长所需矿物质	对宝贝成长的重要功效	食物来源
钙	充足的钙质可帮助宝贝正常生长发育；稳定宝贝情绪、减少焦躁不安，促进睡眠良好；宝贝若长期缺钙，容易生长迟滞、牙齿发育不全，还可能导致肌肉痉挛、湿疹、失眠等。	奶类、鱼类、龙须菜、海带、深绿色蔬菜、豆类及其制品等。
磷	构成骨骼和牙齿的主要成分，主要作用是维持宝贝肾脏机能正常运作。	酵母粉、小麦胚芽等。
镁	人体内的镁约有70%存在于骨骼中，是构成骨骼的主要成分，主要作用是稳定宝贝情绪，协助钙质吸收。	深绿色蔬菜、五谷类、坚果类、瘦猪肉、奶类、牡蛎、海苔、豆类等。

宝贝成长所需矿物质	对宝贝成长的重要功效	食物来源
钾	维持宝贝体内细胞的正常含水量及正常血压，参与神经传导、正常肌肉反应等。	干海带、紫菜、豆类、奶类、香蕉、瓜类水果等。
钠	参于宝贝体内水的代谢；保持水平衡；维持体内酸碱度平衡；对宝贝的肌肉运动、心血管功能、能量代谢有重要作用。	动物性食品中的含量要高于植物性食品。人体内的钠一般情况下不易缺乏，婴儿的辅食制作应做到低盐，如果食盐量过高，可引起中毒，甚至死亡。
铁	强化宝贝的免疫机能，负责血液的带氧功能。	蛋黄、红肉类（牛肉）、动物肝脏、燕麦、奶类、海藻类等。
锌	强化免疫机能，帮助生殖器官发育及伤口愈合。	海鲜、肉类、动物肝脏、生姜、小麦胚芽、酵母、核果类等。
铜	协助骨骼与红血球的形成，促进伤口愈合。	动物肝脏、虾蟹贝类、全麦食品、瘦猪肉、杏仁、豆类等。
钴	维生素B_{12}的主要成分，可协助红血球生成。	动物肝脏、肉类、贝类、海带、紫菜等。

宝贝成长所需矿物质	对宝贝成长的重要功效	食物来源
锰	预防骨质疏松、提升免疫力，维持中枢神经运作及脑部机能。	动物性食品中含量极少，多存于植物性食品中，如菠菜、豌豆、蓝莓、菠萝、全谷类、豆类等。
硒	被国内外医药界和营养学界称为“长寿元素”、“天然解毒剂”，是人体必需的微量元素之一，对提高宝贝免疫力，预防重大疾病，保持一生强健体质起着重要作用。宝贝每天须摄入足够量的硒。	米、面等食物中含量较低，主要出自野生、天然生长的食品，还有海产品、食用菌、肉类、禽蛋、西蓝花、紫薯、大蒜等食物。
碘	有“智力元素”之称的人体必需微量元素，主要调节宝贝体内的甲状腺平衡，还能调节蛋白质合成和分解、促进糖和脂肪代谢、调节水盐代谢、控制维生素的吸收利用、促进骨骼发育等。	海带、紫菜、海白菜、海鱼、虾蟹、贝类等。

注1：本表格的“食物来源”主要针对0~6岁的宝贝，为妈咪主厨制作辅食提供参考。

准备充分再下厨
——给宝贝喂辅食的必要性及基本原则

一周岁以前，是宝贝一生中发育最快的时期，这一时期的成长规律是“睡眠时间逐渐减少，活动量越来越多”，仅靠母乳或营养配方奶粉单独喂养，已无法充分供给宝贝成长发育的营养需求，必须另外添加辅食。

添加辅食也是为了让宝贝慢慢适应食物的味道，学习如何咀嚼、训练吞咽能力、练习如何使用餐具进食，为宝贝将来接受固体食物做好准备，养成良好的膳食习惯，继而慢慢接受大人的饮食方式。有些宝贝在出生3～4个月时，可能出现“厌奶期”，表现为不喝奶或是喝奶量减少的状况，因此应酌情给宝贝添加辅食，补充成长所需热量与营养，打下健康的基础。若在宝贝一周岁之前没有及时喂辅食和训练咀嚼、吞咽能力，一周岁以后宝贝可能就不愿意练习，吃食物咬两三下就会吐出来，容易诱发硬吞、哽噎的危险状况。

各种天然新鲜的食材，都可作为宝贝的辅食，但讲究饮食营养均衡、全面关心宝贝感受的妈咪主厨，会根据宝贝的牙齿与消化系统的发育状况，适时调整食物形态与料理方法，逐渐从液状、泥状、糊状进阶到较软的固体食物，逐渐调整辅食与主食（母乳或配方奶粉）的摄食比例，逐渐减少主食奶类供给，以温和的方式让宝贝逐渐断奶。

小贴士

正常宝贝4个月之前无需添加辅食

不同性别的宝贝所需的热量与营养素基本一样，只是对热量和营养素的吸收上存在个体差异。不管是以母乳或婴儿配方奶粉喂养宝贝，儿科专家建议：只要是足月生产、发育正常的婴儿，在4个月之前不需要额外添加辅食。

能否给宝贝喂辅食，肠胃功能的发育是否成熟是很重要的条件。在4个月之前，过早添加辅食，很可能引起宝贝肠道不适、消化吸收不良等，导致病毒感染等诸多问题。

小贴士

奶粉过敏症

宝贝肠胃受到配方奶粉中某些蛋白质的刺激而产生敏感反应（如加速蠕动）导致肚子痛，伴随呕吐与拉肚子等肠胃症状。正常新生儿中，约有2%存在奶粉过敏的情况，特殊情况下可能对母乳也过敏。

喝奶半小时后出现哭闹、不安、腹部胀气、持续性腹泻，是婴儿对奶粉过敏的主要症状。除了肠胃症状，还可能反应在皮肤与呼吸道上，出现异位性皮肤炎，或是咳嗽、打喷嚏、流鼻水等现象。若症状长期持续，严重的可能会出现营养不良等，间接造成发育迟缓、低蛋白血症及缺铁性贫血等。

最好的对策是不喝一般的配方奶，经医嘱后改喝已将蛋白分解为小分子的水解蛋白配方奶粉，这样不容易产生过敏症状。通常两周岁以后，七成奶粉过敏症的宝贝，就不会对奶粉及奶制品过敏了。

给宝贝制作辅食，除了要考虑宝贝的月龄，同时还需要考虑宝贝的体重、发育速度、活动力和胃口。如果宝贝的体重已达到出生时的两倍（且超过6公斤），每天喂奶的次数为8～10次（每天喝配方奶粉量超过1000毫升），却总有喝不饱的感觉，就表示宝贝已进入吃流质辅食的阶段了。

每个宝贝的成长都有其个体差异性，对于发育正常的宝贝，喂辅食的基础时间点最好不要早于出生后满4个月；有过敏症状的宝贝，喂辅食的基础时间点为出生后满6个月。4个月之前的正常宝贝，不论是以母乳或婴儿配方奶粉喂养，都能摄取完整的营养，而主管消化的胰脏

小贴士

什么时候让宝贝“断奶瓶”

当宝贝5～6个月大，可以自己拿住东西时，就可训练宝贝用杯子喝东西了。母乳、自榨果汁和水都可以让宝贝用杯子喝，但宝贝的手力毕竟还很弱，所以不要一次性装太多，以免宝贝拿不动，而且也不要勉强宝贝一次就把杯子里的液体喝光光，要让宝贝慢慢适应杯子，有“杯子里的东东是解渴的”认知，逐渐养成用杯子喝水或喝奶的习惯。

想让宝贝对使用杯子感兴趣，首先要为宝贝挑选一个有把手、图案可爱、色彩鲜艳的塑料杯（建议使用PP材质的）；宝贝喜欢模仿大人的动作，不妨在宝贝面前用杯子喝水给他作示范，宝贝会很乐意照你的样子做的。宝贝两岁后就会习惯和固定生活作息方式，并藉此产生安全感，因此尽量要在两岁前戒除奶瓶，否则之后想要宝贝戒除就很难了。

在宝贝进入4～6个月的成长期才慢慢发育成熟，食道与胃之间的括约肌也大约在6个月才发育完成，因此含蛋白质、脂肪、淀粉较多的食物，都必须到此阶段再逐渐给予。

下面是妈咪主厨给宝贝制作辅食时应当注意的一些原则。

1. 配合宝贝的咀嚼与消化能力

这也是最简单和基本的大原则：由稀到稠、由细到粗、由少到多、由一种到多种。配合宝贝的咀嚼、消化与适应能力，一开始先给宝贝提供流质的辅食，然后慢慢调整至半流质辅食，最后是喂软固体食物。每个宝贝的食欲和食量不尽相同，饮食量没有唯一的标准，妈咪主厨应该细心观察宝贝的体重、身高、长牙和排便情况，并据此适当调整辅食量。

将辅食用杯碗盛装，以小汤匙喂食，让宝贝逐渐习惯大人的饮食方式。喂辅食时最好将食物放在宝贝的舌头中间，这样会让不太会吞咽的宝贝较容易吞下。米粉、麦粉需调成糊状，置于碗中喂食，不要直接将辅食加入奶粉中用奶瓶冲泡，否则将无法训练宝贝吞咽与咀嚼的能力，还可能影响奶粉的浓度，造成过度喂食。

奶瓶与奶嘴的选择，对于宝贝喝液体饮品是很重要的。市面上常见的奶嘴孔洞有两种：圆洞和十字孔。两种孔洞都有大小之分，若宝贝的吸吮能力差，可选择孔洞较大的圆孔奶嘴，让奶水自然流出，吸食较不费力；若宝贝的吸吮能力较佳，可选择孔洞较小的十字孔奶嘴，较不易呛到或吸入空气，妈妈可以参考不同品牌的标识购买。个人经验是：圆洞奶嘴适合给宝贝喝水和纯净果汁，因为其流量可以控制，使宝贝不容易呛到；十字型奶嘴适合给宝贝喝主食，因为一周岁以前宝贝每天喝奶粉的次数最多，这种奶嘴的缺点是容易因反复使用、清洗或宝贝调皮啃咬而损坏，所以家里最好常备2～3个十字型奶嘴。奶嘴若被宝贝牙齿磨损，应立刻更换；若未磨损也需每隔3个月淘汰更换。奶瓶与奶嘴的锁紧程度，以将奶瓶倒置，奶水可缓慢滴落为宜。

2. 观察宝贝吃辅食有无不良反应

宝贝第一次尝试吃奶粉以外的辅食，是妈咪主厨需要重点观察的。起初，只能给宝贝喂一种辅食，并且是一汤匙的量，建议从宝贝不易过敏的较稀米糊或婴儿配方米粉开始尝试。当宝贝吃完第一餐辅食，观察无不良反应后，再开始以由稀渐浓的方式喂食。

每一种辅食在喂食3～5天后，若观察宝贝没有出现呕吐、腹泻、皮肤潮红、出疹子等不良反应，才可考虑添加新的食材或是增加分量。添加辅食应以循序渐进的方式进行，坚持“一看、二慢、三加”的方式，不要随便混合多种新辅食喂食，以免宝贝出现不良反应时无从判断是哪种食物导致的。等到宝贝尝过4～5种食材，反应正常良好，才能尝试着将多种食物进行混合喂食。

开始吃辅食后，宝贝的便便可能会变软一些，甚至会把某些吃进肚子里的食物较完整地原封不动地拉出来，只要不是拉稀，就没有关系，不用太过担心。若宝贝

吃辅食时有不良反应，应暂停喂食，等症状消失后再试着继续喂；若没有改善，应带宝贝及时去医院看医生，了解宝贝是否对某种食物过敏。

喂辅食对4～12个月的宝贝而言是很重要的，不能因为出现过敏或不适症状，而就此中断或停止喂辅食，因为若太晚给宝贝喂辅食，除了可能让宝贝营养不足，也会缺少进阶式断奶，而错过训练宝贝咀嚼和吞咽能力的最佳时机。喂食的时候不要给宝贝压力，要让他觉得吃东西是很愉快且有趣的，这样才会比较容易接受——同时，妈咪主厨也得努力提高自己的厨艺喔。

3. 理解宝贝吃辅食的正常反应

宝贝在3～4个月大时，舌头会有推出食物的条件反射，会将非液体食物用舌头推出，这也是喂辅食时宝贝的正常反应。不一定是宝贝不想吃辅食，也许就是反射动作或者是并不饿，此时应当遵从宝贝意愿：当他总是用舌头推出食物时，这一顿就暂停喂辅食，下一顿继续喂。

多数宝贝无法刚一开始吃辅食就很顺利，通常会吃一口吐一半出来，对此妈咪主厨要有耐心，理解宝贝，不宜操之过急。应在就餐时间充裕的情况下，以轻松愉快的态度给宝贝喂食，不要强迫宝贝吃完所有辅食，以免其产生抗拒感；若宝贝不喜欢某一种食物，建议以营养素相当的不同种类食物替换，不一定非要强迫宝贝吃某一种食物。

4. 先吃辅食再喝奶

要掌握宝贝每天的饮食规律，留意宝贝在不饿时或者很饿时有何表现。通常情况下，辅食是对奶粉的有益补充，把握喂辅食的时间、分量和口味，对宝贝顺利吸收辅食很重要。

喂辅食的最佳时间是在宝贝吃奶粉之前。养成“先吃辅食再喝奶”的喂养习惯，让宝贝在空腹且略有点饿的情况下愿意吞咽与咀嚼辅食，否则宝贝一旦先喝奶喝饱了，就会不再想吃其他食物。

5. 注意食材的新鲜与卫生

制作辅食的过程中，食材新鲜、烹饪卫生是必须保证的。以天然新鲜的食材制作辅食，建议一周岁以内宝贝的辅食内不要添加食盐，无需添加其他调味料（包括鸡精、胡椒粉、味精等）；切忌以大人的口味来衡量辅食是否可口，避免制作出太甜、太咸、太热或太冷的辅食。一周岁以下的宝贝对冷热的感知力较差、呼吸系统很弱，更不宜给予冰凉的食物（如冰块、冰激凌等），以免抑制肠胃蠕动，引起胃黏膜血管收缩。

注意餐具与食物的清洁卫生，菜板最好有两副，分别切蔬菜水果和生鲜的肉类；宝贝的餐具必须是专用的，每次宝贝用餐后，都要将餐具洗干净，并专门进行消毒处理；喂宝贝辅食之前应将自己的双手洗净。

市面上有多种现成的婴儿辅食，除非特殊情况下没有时间制作辅食，否则还是要以天然的食材亲自制作辅食喂宝贝。若有意购买，应注意查看包装是否密封安全、有效期时间，开罐后若一次没吃完，需放入冰箱里冷藏保存，并于24小时内及时取出，在常温下给宝贝食用，再吃不完应马上丢弃。

辅食添加量	五谷类辅食（配方米粉）	水果类辅食（果汁、果泥）	蔬菜类辅食（菜泥）
一汤匙	1～3日	1～6日	1～9日
两汤匙	4～10日	7～9日	10～12日
三汤匙	11～17日	10～16日	13～19日
四汤匙		17～30日	20～30日
半碗	18～30日		
一碗	第30日起		

注1：本表为辅食喂养第一个月内（宝贝出生4个月后），不同类型辅食的添加量及持续喂养时间。

注2：由于每个宝贝发育状况不同，本表数值仅供参考。

注3：五谷类辅食首选米糊作为宝贝的辅食，因为米很少引起过敏反应，且容易吸收。

6. 了解辅食制作与喂食器具

市面上有许多实用的辅食制作与喂养器具，不仅使辅食制作更加方便，让宝贝使用专门的器具也比较卫生安全。拿汤匙来说，可分为“喂食型”与“学习型”两种，喂食型汤匙与一般的汤匙形状相似，但型号比较小，是为家长喂宝贝而设计的；学习型汤匙则有特殊的弯度设计，适合宝贝使用协调能力还未成熟的小手来喂自己吃东西。此外，吸盘碗、感温汤匙等功能较新的器具，也让辅食制作和喂养变得得心应手。下表有助于妈咪主厨了解辅食制作与喂养的日常器具。

常用辅食制作与喂养器具	功能详解
	**辅食制作常用工具** ①研磨器：可将果蔬类食材，如苹果、香蕉、胡萝卜研磨成泥状。 ②榨汁器：可将橙子等水果压出汁。 ③滤网：过滤果汁与菜汤。 ④研磨棒＆研钵：可将小块的食材（如葡萄、豌豆等）捣碎磨成泥。 ⑤幼儿匙：小而窄的匙面更适合宝贝的嘴。
	**婴幼儿学习型餐具** 依据宝贝初学时拿餐具的动作所设计，特殊的弯弧形状，让宝贝容易握住，可一次性动作将食物送入口中。常见的为弯弧形汤匙和叉子。

常用辅食制作与喂养器具	功能详解 
	**电饭锅专用稀饭杯** 洗好的米放在杯子里，可依据杯上的刻度加水，平放在电饭锅中（待煮的水和米上面），拿掉盖子和滤网。电饭锅煮好饭后，继续焖上20～30分钟，宝贝就可以吃上特别调制的稀饭了。不用麻烦地单独为宝贝煮稀饭，稀饭杯可谓是既便宜又最实惠的器具。
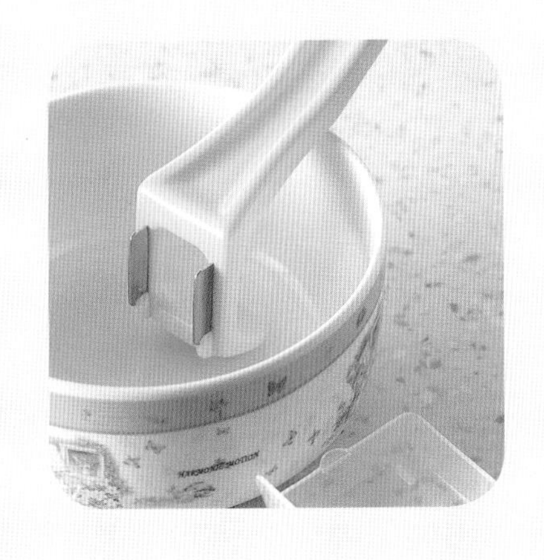	**食物切搅调理器** 可利用此工具切断宝贝碗中的软性食物（如面条类辅食），既省力又方便。
	**幼儿餐碗感温汤匙组** 感温汤匙有一种柔软的匙面，具有特殊的感温功能，可以随着温度的变化而变色，温度越高则匙面变色的速度就越快，可避免高温食物对宝贝的嘴唇和口腔造成伤害，最大限度确保宝贝用餐的安全，避免烫伤。

常用辅食制作与喂养器具	功能详解
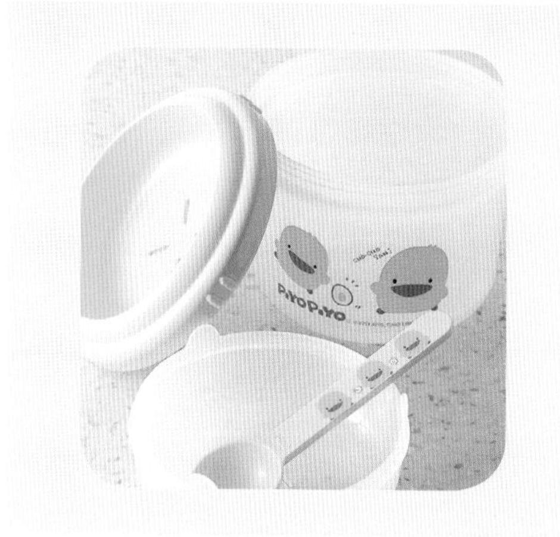	**微波炉专用稀饭调理锅** 将白米或白饭放入其中，添加所需水量，放入微波炉中，依据蒸稀饭所需时间和火力，用微波炉加热至熟，之后在微波炉中焖上几分钟，再用微波炉短暂加热一次，即可煮好稀饭。
	**婴幼儿吸盘学习碗** 形状上看就是底部附有吸盘的碗。底部的吸盘结构可以稳稳地固定于光滑的桌面上，不用担心宝贝将碗弄倒或打翻，是宝贝学习自助用餐的最佳器具。随着宝贝的成长，底部吸盘是可以拿掉的。
	**婴儿喂食专用汤匙** 相对于学习型餐具，这种专用汤匙市面上不算常见。此专用汤匙可防止汤匙过度深入宝贝嘴内。图中的黄色汤匙为泥状食物专用，匙面浅，便于宝贝一口吃下所有食物；粉色汤匙为喝果汁、汤类专用，适合婴儿嘴巴大小，使液体不易外流。

新鲜的食材这样用
——四大类食材营养成分及做法须知

4个月以后的宝贝，消化系统仍然是很脆弱的，辅食一般先要从不易过敏的米汤、米糊开始，然后是果汁、蔬菜汤、蔬果泥，再到鱼肉类。建议妈咪主厨要为宝贝做好饮食记录，完整地记录宝贝每天吃辅食的种类、分量与反应，以了解宝贝的喜好，并判断辅食是否摄取充足。若宝贝出现过敏现象，也有据可查。

制作辅食的食材种类一般分为四大类：水果类、鱼肉蛋类、蔬菜类和五谷类。下面我们具体看看这四大类食材的营养特点以及做法上有哪些是需要注意的。

1. 水果类食材

作为食材，应首选含有较丰富维生素的深色水果，外观需完整、饱满，并且是新鲜成熟的，像苹果、柑橘、柳橙、香蕉、木瓜等果皮较易处理、酸度较低及未受农药污染的有机品种。4～12个月的宝贝，通常要以果汁等形式补充水果；到了

> **小贴士**
>
> **果汁的做法**
>
> 果汁的提取，可根据水果类型的不同加以区分：
>
> ①柑橘类水果可使用榨汁机。将水果剥皮洗净，用榨汁机榨出汁液后，用细网过滤果渣即可。
>
> ②小籽的水果（如苹果、梨、香瓜等）可先将水果磨成泥状后，再用细网过滤的方式取汁。
>
> ③大籽的水果（如葡萄、西瓜等）可用挤压的方式取汁。
>
> 提取出的果汁，与温开水以较大的比例稀释，以免4~6个月的宝贝直接喝高浓度果汁后拉肚子，并养成嗜甜的不良习惯。之后随着月龄增加，宝贝大约7个月大时可直接喝少量的纯果汁，也可给小片去皮去核的水果（如苹果、番石榴），让宝贝自己拿着咬。

小贴士

果泥的做法

制作成果泥的水果，通常都是汁水较少的，如苹果和香蕉。苹果通常是稍微加热一下，然后切成两半去核，用勺刮苹果泥，随刮随喂；香蕉则无需加热，剥去皮，直接刮泥喂。

菜汤的做法

制作菜汤的步骤是：将蔬菜切小段，加水煮3分钟至熟后，用细网过滤出菜汤，稍凉后就可以用汤匙喂食。如果宝贝不喜欢纯菜汤，又确定对苹果不会过敏，可试着将菜汤与苹果汁混合后再喂食。

菜泥的做法

可制作成菜泥的蔬菜，一般是绿叶素较少的蔬菜，如胡萝卜、马铃薯、紫薯、南瓜、山药等。制作步骤是：去皮后蒸熟，研磨成泥状，用汤匙刮喂。像胡萝卜、南瓜等甜味菜泥，可直接喂食；像山药、马铃薯等甜味不明显的菜泥，可加入极少量的糖，搅拌均匀后，用汤匙边刮边喂。

6个月以后，可酌情适量地给宝贝喂食果泥。开始给宝贝喂果汁时，应以奶瓶盛装，每天一次，每次约1毫升（用水稀释后的果汁）；果泥应用汤匙喂食，从1汤匙开始喂起，当天吃不完的果泥应及时丢弃。

2. 鱼肉蛋类食材

选择此类食材制作辅食，务必要注意新鲜，同时一定要将食物烹饪熟。鱼类可选择鳕鱼、旗鱼、鲑鱼、鲷鱼等深海鱼类，必须仔细剔除鱼刺，避免宝贝吃鱼时将鱼刺卡到娇嫩的喉咙；肉类可用瘦猪肉、动物肝脏，或用去油的排骨熬成高汤；羊肉不易消化，建议两周岁以后再给孩子吃；蛋类在一周岁之前只喂食蛋黄，满一周岁以后再给孩子吃蛋白，避免宝贝可能出现过敏。

3. 蔬菜类食材

“菜叶肥厚、外观完整、无枯萎斑点、新鲜的”蔬菜最适合作为宝贝的食材，以此为标准应购买当季的蔬菜种类，农药残余会相对少一些。首选深绿色、紫色、红黄色蔬菜，如小白菜、菠菜、胡萝卜、豌豆、花椰菜及瓜类蔬菜，可给宝贝提供较多的维生素与矿物质；味道较强烈的韭菜、青椒、牛蒡等蔬菜此阶段则不适宜给宝贝吃；不宜将不干净的蔬菜榨汁后给宝贝喝，因为除了口感不好、有涩味外，里面可能含有影响宝贝健康的微生物。

4. 五谷类食材

人都是吃五谷杂粮长大的，宝贝的辅食也自然是从五谷类开始的。五谷类，最常见的食材是各种米、面、豆，它们富含宝贝最容易吸收的铁质，白米更是婴儿肠胃消化吸收的最佳选择，通常是以“米汤→稀粥→浓粥→软饭”的辅食形态循序渐进。给宝贝喝米类辅食，应当根据宝贝的月龄酌量添加。

若想给宝贝添加燕麦或其他谷类，需要先磨碎再烹煮，这样就不会有纤维较粗不易消化的问题。选购市售的米、面，须注意包装说明与有效期，依照菜单上建议的比例冲调；也可选购质量上好的吐司，给宝贝做面包粥，将吐司的硬边切除后，切成小块，加入5毫升配方奶粉及5毫升的水，用小火煮软即可；豆类是优质蛋白质来源，豆腐需煮熟后给宝贝直接喂食。

米粉与小麦粉的纤维较温和，蛋白质消化率高，容易消化吸收利用，若购买辅食产品时，可选择单纯的米粉或精制小麦等未添加人工香料的产品，相对知名的品牌比较有保障。胚芽米粉纤维较粗，易造成宝贝肠胃负担，建议等宝贝大一些再喂；燕麦粉可降低血脂含量，但适合成人，建议一周岁以后再酌量给宝贝食用。

宝贝的月龄	米与水的比例（米粥类辅食）
4～6个月	1：10～1：7
7～9个月	1：5
10～12个月	1：4～1：3

这些表格要记牢

——4～12个月宝贝分阶段辅食喂养建议

应当给4～12个月宝贝每天提供多少辅食呢？这恐怕是妈咪主厨在给宝贝制作辅食之前最难把握的。

首先，在宝贝一周岁前应细心观察和记录宝贝的生长状况，对照生长发育数据及规律了解宝贝的各项发育是否处于正常范畴，若宝贝成长和发育情形良好，并不需太过精确地计算宝贝每天的食量。

其次，应当分阶段调配饮食的种类和控制食量。4个月以前，宝贝的营养完全来自于主食（母乳或配方奶粉），可从宝贝每天的排尿次数判断宝贝的喂食量是否足够，此阶段宝贝每天需要尿6次以上才算正常。通常来说，4个月以前的宝贝，若是母乳喂养，每天需要喂6～7次；若是配方奶粉喂养，应根据不同配方奶粉的喂量要求，每天也大概需要喂5～7次。宝贝出生后的第一个月，主食摄入量约为90～140毫升；宝贝满月后至4个月以前，主食摄入量约为110～160毫升。

第三，辅食制作的分量要适中。一周岁以下的宝贝肠胃系统较弱，给予的食物要以新鲜天然为第一要素，最好是快要吃饭时再制作，不能提前几个小时就做好，更不能一次性大量制作。多数辅食都不建议大量制作。上班族妈妈可利用市售产品，如米粉调制，或是将榨好但未稀释的果汁分给家人饮用，偶尔给宝贝罐头类果泥辅食也是可以的，当然条件允许的情况下，还是亲自下厨给宝贝做辅食最好。

4~12个月的宝贝，辅食喂养可分为三个阶段：4~6个月、7~9个月、10~12个月。本书后面的营养辅食菜单，也将按照这三个阶段分门别类，提供给宝贝美味、科学、合理的膳食营养。每个妈咪在下厨之前，应当牢记每个阶段的表格内容，以便给宝贝正确地添加辅食。

1. 4~6个月宝贝辅食用量表

每天喝100毫升左右的母乳或配方奶粉，可供应这一阶段宝贝的营养与热量所需，这一阶段添加辅食，主要目的是为了让宝贝逐渐适应流质到泥糊状食物的过渡，同时慢慢习惯汤匙喂食的方式，并非以营养需求为主要考虑，不可因为给宝贝喂辅食就自行减少喂奶量。此阶段辅食的主要种类为泥糊状食物，如米糊、果汁和菜汤等。

主食（母乳或配方奶粉）每日喂养次数	5次及以上
主食每次冲泡量	170~200毫升
辅食每日提供婴儿所需热量百分比	10%~20%
水果类辅食每日摄入量	果汁（1~3汤匙，与温开水等比例稀释）
蔬菜类辅食每日摄入量	青菜汤（1~3汤匙）
五谷类辅食每日摄入量	米糊（1汤匙~1碗）

注1：宝贝发育状况不同，本表数值仅供参考。

注2：表中的汤匙和碗的量，均以大人日常使用的中等规格餐具为参考标准。

2. 7～9个月宝贝辅食用量表

成长至此阶段，辅食已经担负起每天给宝贝提供30%～50%热量的责任。这一阶段辅食的主要来源为五谷类，如稀饭、粥、面、馒头等。为长牙期的宝贝提供的磨牙棒或烤土司条，可不算作辅食。鱼肉蛋类辅食主要供给蛋白质、矿物质等，喂食分量可参见下表，每顿可选择其中一种喂养；蛋黄泥之所以可以每天吃1～2个，是因为宝贝此阶段吃的不是全蛋，且宝贝的吸收能力有限，所以不会有蛋白质摄入过量的问题。此阶段的辅食形态是从流质的汤汁慢慢进阶为糊状的半流质，再转变为泥状的半固体形态。

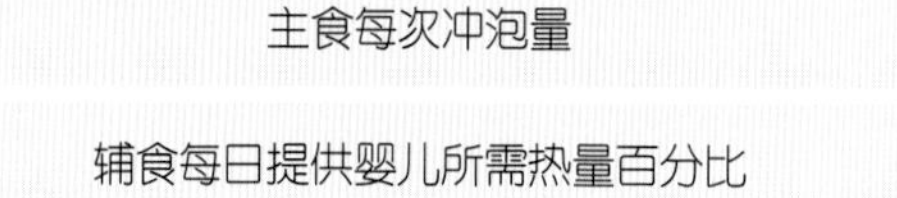

主食（母乳或配方奶粉）每日喂养次数	5次
主食每次冲泡量	200～250毫升
辅食每日提供婴儿所需热量百分比	30%～50%
水果类辅食每日摄入量	果汁或果泥（2～4汤匙）
蔬菜类辅食每日摄入量	蔬菜汤或蔬菜泥（2～4汤匙）
五谷类辅食每日摄入量	□ 稀饭、面条1.5～2碗 □ 吐司面包2.5～4片 □ 馒头等干面食 0.5～1个 □ 米糊 2.5～4碗
鱼肉蛋类辅食每日摄入量	□ 蛋黄泥1～2个 □ 豆腐1～1.5块（四方大块） □ 鱼松或肉松0.5汤匙左右 □ 骨泥或肝泥1～1.5汤匙

注1：宝贝发育状况不同，本表数值仅供参考。

注2：“五谷类辅食”、“鱼肉蛋类辅食”类型不止一种，每顿辅食可任选其一，根据每日的量估算出每顿的量，在每项前面的“□”里勾选“√”，尽量保证菜品的丰富与多样性。

注3：表中的汤匙和碗的量，均以大人日常使用的中等规格餐具为参考标准。

3. 10～12个月宝贝辅食用量表

成长至此阶段，由于宝贝每天的母乳或配方奶粉摄入量已逐渐减少，辅食上要格外注意铁质的补充，红肉（牛肉）、动物肝脏、蛋黄与绿色蔬菜都是很好的铁质来源。餐后可给宝贝吃些富含维生素C的水果，以帮助铁质吸收。此阶段的辅食形态出现了半固体和固体食物，可试着让宝贝吃较软的米饭或小块的水果丁，辅食种类应保证多元化及避免重复。

主食（母乳或配方奶粉）每日喂养次数	3～4次
主食每次冲泡量	200～250毫升
辅食每日提供婴儿所需热量百分比	50%
水果类辅食每日摄入量	果汁或果泥（3～4汤匙）
蔬菜类辅食每日摄入量	蔬菜汤、蔬菜泥或碎菜叶（3～4汤匙）
五谷类辅食每日摄入量	□ 稀饭、面条2～3碗 □ 干米饭1～1.5碗 □ 吐司面包4～6片 □ 馒头等面食 2～3个 □ 米糊 4～6碗
鱼肉蛋类辅食每日摄入量	□ 蒸全蛋 2～3个 □ 豆腐1～1.5块（四方大块） □ 鱼松或肉松0.5～1汤匙 □ 骨泥或肝泥1.5～2汤匙

注1：宝贝发育状况不同，本表数值仅供参考。

注2：“五谷类辅食”、“鱼肉蛋类辅食”类型不止一种，每顿辅食可任选其一，根据每日的量估算出每顿的量，在每项前面的“□”里勾选“√”，尽量保证菜品的丰富与多样性。

注3：表中的汤匙和碗的量，均以大人日常使用的中等规格餐具为参考标准。

不仅亲自下厨，还要做宝贝的私人药膳师

这一节集中列出了与制作辅食有关的医药学常识和妈妈们经常碰到的棘手问题，包括4～12个月宝贝不同阶段的饮食宜忌及误区、生病时该如何给宝贝喂辅食、常见胃肠道问题的护理和饮食调节，以及市面上辅食商品的挑选须知，等等。每个妈咪主厨，都要仔细留意这些点点滴滴喔。

1. 不同阶段和体质宝贝应忌口的食物

忌口的食物名称及原因	正确科学的吃法
蛋　类 （×）10个月以前的宝贝不宜吃鸡蛋蛋白。蛋白容易导致过敏，出现荨麻疹、面部潮红等症状。 （×）有过敏体质的宝贝应慎食蛋类。建议一周岁以后再酌量吃全蛋，切记一定要煮至全熟。 （×）若证实宝贝对蛋类有严重过敏症，所有含蛋制品，如蛋糕、蛋羹、色拉酱等，都要避免食用，同时母乳喂养的妈咪也不能吃蛋。	（√）第7个月开始，可考虑给宝贝吃蛋。先从1/8个蛋黄开始尝试，用温水或米汤调成泥状，再慢慢增加分量。 （√）7～9个月无过敏反应的宝贝，蛋黄泥可以每天吃1～2个。 （√）10～12个月无过敏反应的宝贝，全蛋可以每天吃1～2个。

忌口的食物名称及原因	正确科学的吃法
葡萄糖 （×）4～12个月宝贝无需刻意喝葡萄糖，葡萄糖的甜味会使宝贝有饱足感，可能会影响宝贝对主食的食欲，导致营养摄入上出问题。	
鲜 奶 （×）市售鲜奶（纯牛奶或纯羊奶）的矿物质含量远超过新生儿骨骼发育所需，蛋白质和盐分过高也会使宝贝的肾脏无法负荷，因此建议一周岁以前不给宝贝喝鲜奶。	
豆 浆 （×）一周岁以前的宝贝不宜喝豆浆，以免引起胀气、拉肚子等肠胃不适。	（√）豆浆含有丰富的维生素B族、植物性蛋白质与卵磷脂，宝贝一周岁以后就可以适量饮用。
优酪乳 （×）优酪乳含丰富有益菌，又容易消化，可强化小宝贝的免疫力。但是市售产品主要是用牛奶制作的，并不适合一周岁以下的宝贝。	（√）妈妈们可购买有品质保障的菌种，使用婴儿配方奶粉自行制作，保证清洁卫生就OK。

忌口的食物名称及原因	正确科学的吃法
中　药 （×）出生6个月以前的宝贝仍带有妈妈的抗体，通常不容易生病。发育健康正常的宝贝，并不需要吃中药（如人参、当归等）来补元气，以免造成肝火过旺的不良症状。	（√）若一周岁以前的宝贝体质弱，常常生病，希望用药膳给宝贝补身体，千万要经正规医院的中医师问诊处方，不要听信任何偏方擅自抓药。若同时间有服用西药，一定要咨询医师的意见，以免发生药物交叉反应或中毒现象。
珍珠粉 （×）宝贝的肤色是与生俱来的，吃珍珠粉并不能让宝贝变白，珍珠粉的功效并未在婴幼儿身上证实。 （×）婴幼儿吃珍珠粉过多，容易造成钙质摄取过量，给肾脏增加负担。	（√）珍珠粉含有碳酸钙和微量元素，可加速伤口愈合、滋润肌肤，对女性肌肤保养有一定效果。但不宜用于宝贝身上，不宜给宝贝食用或涂抹。
麦乳精 （×）麦乳精是用麦芽糖、乳制品、麦精蔗糖、可可粉等原料加工而成，其蛋白质含量仅为配方奶粉的1/3，对宝贝的营养补充相对有限。 （×）麦乳精中蛋白质、脂肪和糖的含量比例不适宜婴儿饮用。麦乳精是高糖、高脂肪食物，除了能给宝贝增加一定热量外，不利于消化吸收，对宝贝生长发育不利。 （×）麦乳精里所含可可碱，食用过多后容易使宝贝出现兴奋和多尿，不建议宝贝饮用。	

忌口的食物名称及原因	正确科学的吃法

钙　粉

（×）部分药剂师会推荐在配方奶粉中添加钙粉，帮助宝贝长牙与骨骼发育，其实宝贝每天正常摄入奶粉和辅食，所摄取的钙质总量已足够，无需额外补充钙粉。

（×）只添加钙粉却缺乏补充等量维生素D，是无法让钙质很好吸收的，多余的钙要从肾脏排泄，反而加重宝贝肾脏的负担。

（√）若宝贝不爱喝奶粉又偏食，有钙质摄取不足的表现，适当添加钙粉或许有帮助，但是其吸收率如何，因人和钙的品种不同而异。

蜂蜜或蜂胶

（×）蜂蜜容易在制造过程中受到霉菌污染，产生肉毒杆菌，对免疫系统尚未成熟的一周岁以下宝贝可能有致命危险，切勿给一周岁以下肠道尚未成熟的宝贝喝蜂蜜水。

（×）部分蜂胶产品中含酒精，有可能会干扰一周岁以下宝贝自我免疫系统的发展，同时其制作过程中可能含有肉毒杆菌，也会给一周岁以下宝贝带来伤害。

（√）蜂蜜可以润肠，老一辈家长会在温水里加一点蜂蜜给宝贝喝，让宝贝不会便秘。一周岁以后，若宝贝确有需要，再补充蜂蜜水。

（√）蜂胶有抗菌、抗病毒、抗发炎、活化细胞、提高免疫力、改善过敏体质、预防感染、治湿疹等功效，多被用以调节免疫系统与保护呼吸道。但并不适合两周岁以下的婴幼儿食用。

忌口的食物名称及原因	正确科学的吃法

加工食品

（×）沙茶酱、辣椒酱、味精等调味料，含有防腐剂、色素等食品添加剂。添加剂中的微量毒素对成人并无太大影响，但对于一周岁以前的宝贝不利。

（×）罐装的商品，如各种水果罐头、午餐肉、沙丁鱼罐头等，也含有防腐剂、色素等食品添加剂，不适合三周岁以前的宝贝食用。

刺激性食品

（×）含有咖啡因的咖啡、巧克力，会使一周岁以下宝贝的中枢神经处于兴奋状态，产生焦虑不安、心跳加快等症状，并影响食欲。

（×）茶叶中含有鞣酸，易使宝贝缺铁。

（×）酒精会毒害宝贝的大脑细胞。

（×）强酸性饮料，如可乐、雪碧，容易使宝贝腹胀，消化不良。

（×）不易消化的花生、核桃等坚果，不适合一周岁以下宝贝食用。

2. 宝贝需要补充偏方营养药吗

4~12个月的宝贝，只要发育正常、进行主食和辅食科学喂养，就能够保证身体营养足够。部分天生体质不佳、抵抗力较差，或是因饮食结构不当导致营养失调的宝贝，可在家长咨询专业医师后，谨遵医嘱适量给孩子补充一些营养品，不过一定不能“听信任何未经证实的偏方（包括孩子的爷爷奶奶等提供的）”，选择有信誉商家的营养品补充剂。

部分营养药粉（如珍珠粉、八宝粉），对宝贝的身体是否有益在医学界尚存争议，并且服用这些药粉，会直接干扰宝贝打预防针的效果。拿八宝粉来说，它是老一辈最爱的一种婴幼儿药品，许多老一辈家长认为只要让刚出生的宝贝服用八宝粉、牛黄解毒散等药粉，就能解胎毒，让宝贝长得白白胖胖，乖巧又好带。不过以现在的医学眼光来看，上述偏方药粉对宝贝的成长是存在一定副作用的，并且某些未经卫生部门核准的偏方药粉中，会含有毒重金属（铅、汞），若长期服用累积在宝贝体内代谢不掉，日后可能会造成宝贝贫血、生长迟缓、痴呆等后遗症。

还有一些偏方是跟天然食材有关的，比如有偏方认为想让宝贝不长痱子，就要让宝贝喝丝瓜藤上滴下来的丝瓜水，这种丝瓜水虽然清凉，但是生丝瓜水中的硝酸盐，会降低血红素含氧量，饮用后可能使宝贝因缺氧而昏迷不醒，甚至造成脑细胞死亡。因此，对于各种半真半假的偏方和营养药，家长们应当敬而远之，不要轻易用在宝贝身上。即使是专业医师认可的营养药，也应酌情酌量给宝贝服用。

小贴士

什么是优酪乳

酸奶的英文名叫Yoghurt，港台地区多以“优酪乳”或者“优格”作为酸奶的商品名。近些年，国内的奶制品厂商将四种乳酸菌（嗜酸乳杆菌、双歧杆菌、保加利亚乳杆菌、嗜热链球菌）加入较好品质原奶的高端酸奶，定义为优酪乳。也就是说，目前国内市场上的优酪乳就是“品质相对好一些的酸奶”。

市面上的优酪乳，同时含有鲜奶和乳酸菌的营养成分，其中的乳糖因在制造过程中已被发酵成乳酸，更易于铁质的吸收。其营养成分除了钙、磷、钾，还有多种维生素（主要是A、B_2、B_6、B_{12}、叶酸及烟酸等）。

优酪乳最主要的功能是有助于宝贝消化及防止便秘，促进肠胃的正常蠕动，但不适宜一周岁以前的宝贝饮用。

3. 宝贝生病时辅食喂养原则

宝贝生病了还能吃辅食吗？多数情况下是可以的，只是要根据生病状况，决定辅食喂什么、喂多少。如果是普通的感冒，宝贝所出现的鼻塞、咳嗽现象，都会造成喂食的不方便，这时候给小宝贝吃的辅食要求软且温，食物与餐具的清洁更要特别注意。宝贝生病的时候肠胃消化能力较弱，消化吸收能力会变差，少吃能减轻身体负担，若是食欲确实不振，只喝奶粉也没关系。

宝贝生病时，喂辅食的方式要改为“少量多餐”，若宝贝不饿则不要勉强，多给宝贝补充水分即可。生病恢复期间，可将辅食形态回归到前一阶段，如4～6个月的生病宝贝，可暂停喂辅食或依据身体状况喂少量米糊；7个月以上的生病宝贝，可给予稀饭或豆腐等柔软食物，再慢慢回到生病前的辅食形态。还可在睡前给宝贝喝一些用温开水稀释的柳橙汁，舒缓鼻子和喉咙的不适。

4. 宝贝感冒发烧时喂药技巧

一周岁以前的宝贝，从母体里携带的抗体用完之后，难免会出现感冒发烧等症状。对此，家长首先不应惊慌失措，应了解应对小儿常见感冒的方法，去正规医院问诊专业的儿科大夫，询问家中应备有哪些常用药，清楚每种药的用量及用法，确保宝贝生病时可以对症下药，不会过分刺激和损害宝贝的免疫系统。

接下来，就是对所有家长来说都比较艰巨的一件事——给宝贝喂药。一见到盛有药的汤匙递到嘴边，宝贝不是嘴巴紧闭，就是拼命挣脱和说“不”，吃下去又可能吐出来，心急之下强灌药的父母不在少数，但往往导致宝贝不断呕吐，那情形真是又急又气又心疼。

喂宝贝吃药，不妨采用一种类似做游

戏的形式，用说故事的方式引导宝贝自己吃下，然后给予宝贝赞美或是小奖励，同时需将宝贝抱在怀中给予充分的安全感；药水可用喂药器或滴管分次少量喂给宝贝，药粉可以用少许水拌成糊状，涂在小宝贝口腔内侧，再喂他喝水。给宝贝喝的药水多数都是甜的，宝贝不愿意喝主要是因为喂药的氛围让他觉得抗拒，因此千万不要一家人都围在宝贝身边、以威胁的话语强逼他吃药，更不要将药泡在主食里喂，以免宝贝连主食也产生厌恶感，就此不愿再喝奶了。

5. 宝贝便秘时辅食喂养技巧

一周岁以前的宝贝，每天“嗯嗯”的次数都不一样，一天排便3次或者两天排便1次，都属正常范畴。相对而言，喝母乳的宝贝“嗯嗯”的次数，会比喝配方奶粉的宝贝多，并且便便较软，不易出现便秘。

水分摄取不足、天气过热、长时间待在开空调的屋子里、喂奶形态或奶粉种类变化、开始添加辅食等多种原因，都可能导致宝贝出现便秘。若宝贝的便便像一颗颗硬硬的羊屎，排便时的表情看起来很不舒服（如满脸通红、烦躁啼哭），就是便秘的征兆。

预防宝贝便秘，可采用以下的辅食喂养方法：

（1）注意水分的摄取。每天早上让宝贝喝一杯温开水，帮助肠胃蠕动，使便便变软。冲泡配方奶粉时注意比例，冲奶粉过干可能会使宝贝便秘。

（2）多给宝贝吃含纤维的辅食。可给4个月以上的宝贝喂稀释过的黑枣汁或番茄汁；6个月以上宝贝，就可以喂纤维含量较丰富的蔬菜泥、梨子泥、木瓜泥，或者是未精加工的五谷类食品（如燕麦粥）。

（3）每天轻按宝贝的腹部。可按照顺时针方向，以食指与中指轻轻画圆，按摩宝贝的肚脐周围，以促进排便；可用棉花棒或体温计沾取少许凡士林或香油刺激肛门，也能促进宝贝排便。宝贝若有胀气现象，可在宝贝肚脐周围涂些清凉油，轻轻按摩让宝贝排气，但要注意清凉油不可直接涂在宝贝的肚脐上。更重要的是平时让宝贝养成良好的排便习惯。

6. 宝贝拉肚子时辅食喂养技巧

当宝贝每天排便次数很多，便便较稀，且呈水便（泥状或稀泥状）时，就是明显的拉肚子症状。拉肚子又称腹泻，是宝贝容易出现的一种常见病，对于一周岁以前的宝贝，腹泻的原因可能是因为吃了新辅食肠胃不适、喝了过量的果汁（尤其果糖含量高的），或是给宝贝吃了太多的淀粉类食物无法消化等。感冒、胃肠道感染、接种疫苗或长牙，也可能导致宝贝拉肚子。

若腹泻情况不严重，一天大概3～4次，便便只是稍微稀一点，且不影响宝贝活蹦乱跳地吃和玩，也没有出现发烧、呕吐的现象，这时可让宝贝多喝些水或是稀释度较淡的果汁、米汤，不可喂含糖量高的水分。此外，得勤换尿布，若宝贝小屁屁泛红或有湿疹现象，可擦一点不含激素的霜剂。若宝贝有腹泻征兆且食欲变差，应暂停喂辅食；约减少1/3的喂奶量，同时降低婴儿配方奶粉的浓度，以便于宝贝消化和吸收。

若宝贝持续拉肚子一两天、尿量较平时明显少很多，精神跟活力都不好，应立即到医院就诊（可带上宝贝的新鲜便便给医师看），以免宝贝拉肚子严重导致脱水和电解质紊乱。之后需遵照医生的指示喂辅食。

7. 宝贝呕吐时辅食喂养技巧

一周岁以前的宝贝，肠胃系统尚未发育成熟，很容易因刺激而引发呕吐。这里要注意“溢奶”与“呕吐”的区别：溢奶是婴儿的常见现象，40%～60%的婴儿都有溢奶现象，这是由于新生儿的贲门（食道和胃的接口部分）尚未成熟，若喝奶量过多或喝进太多空气会导致溢奶，这属于正常生理现象，宝贝出生4个月后就会逐渐消失。

如果宝贝4个月之后，时常溢奶、喝奶量不足，可能存在营养不良及发育迟缓的问题；或者宝贝吐奶时伴随绿色胆汁或为喷射状呕吐，可能是有消化道疾病，需尽快去正规医院就医；宝贝会因呛奶而引发气管发炎，因疼痛而拒绝喝奶，家长对此要特别留意。

若宝贝出现呕吐状况，并伴有发烧、胀气、拉肚子、咳嗽等症状，应带上宝贝去医院请医师检查。宝贝呕吐时，应迅速将宝贝的头侧向一边，让呕吐物能顺利流出，以免造成异物吸入气道内，阻碍宝贝呼吸道通畅等；再用纱布手帕或小毛巾缠在手指上，伸入口腔内将呕吐物大略清除掉，轻拍宝贝背部，给予少量温开水。刚吐完的宝贝，肠胃特别敏感，不可再马上喂辅食，液体饮品应暂停给予。

在日常照顾上，不要把宝贝的衣物裹得过紧，以免压迫肠胃，饮食应坚持“少量多餐，清淡为主”的原则，母乳或配方奶粉适当减量、辅食以液态为主，每2～3小时喂一次。刚喝完奶粉或辅食的宝贝，不要立即平躺，可将宝贝头部稍微垫高，或让宝贝侧睡，避免宝贝仰睡时被呕吐物呛到。

8. 市面上辅食产品选购须知

市面上有许多方便现成的辅食产品，非常适合每天忙碌的上班族妈妈搭配给宝贝食用。选购这一类辅食产品时，应挑选具有知名度的品牌，注意每个产品的制造日期、营养成分、适宜年龄，检查包装是否有裂损、密封，瓶口是否生锈，瓶盖是否浮凸等问题，让宝贝吃得卫生又安心。

一般的市售辅食商品，均有标明适用月龄及食用方法，只要依照包装上指示操作即可。这些辅食产品最常见的食用有三种方式：热水冲泡、冷水冲泡、同包装一起加热后食用。热水冲泡的方式多用于糊类、粥类食品，冲泡后要等到稍微降温后再喂食；冷水冲泡的方式多用在果汁或营养补充品上，冲泡后即可饮用；同包装一起加热后再倒出食用的辅食商品，比较适合7个月以上的宝贝食用，选购的时候要特别注意喔。

此外，可选用直接食用的罐装食品（如各种水果泥、水果汁、蔬菜泥等），但由于分量较多，必须得在24小时内食用完毕，可等到宝贝的食量较大时，再选购此类产品。

第二章

4～6个月初段流质辅食菜单

- 4～6个月宝贝正常发育的动作及情绪表现
- 4～6个月宝贝日常护理要点
- 19道适合此阶段宝贝的精选辅食

4～6个月宝贝成长备忘录

6个月的宝贝，可以舞动着手脚翻身坐起，愈发长得圆润可爱，动作与智能的进步越来越明显，每天都会给妈妈带来惊喜。每个宝贝的体型主要是受遗传因素影响，胖瘦没有固定的标准，发育快慢也因人而异，只要宝贝每天活力十足，就是营养充足的表现。

4个月大的宝贝，体重大约是刚出生时的两倍，身高约比出生时长高10厘米，头围大致与胸围相等，宝贝的生长速度到6个月之后就会趋缓。

宝贝生理指标	4～6个月宝贝性别及成长值	
身高（厘米）	男宝贝	65～70
	女宝贝	63～69
体重（千克）	男宝贝	7.5～8.8
	女宝贝	7.1～8.2
头围（厘米）	男宝贝	42.1～44.4
	女宝贝	41.3～43.3

注1：每个宝贝遗传因素不同，高矮胖瘦无固定标准，符合生长曲线即为发育正常。本表数值仅供参考。

1. 发育正常的动作表现

4～5个月的宝贝，醒着的时候总是不停地舞动手脚；趴着时已经可以将头抬起；轻拉宝贝双手让他坐起，头也不会向后歪，脖子已经能够完全直立；若超过5个月大，宝贝的颈部还没有硬挺，就有可能出现智能障碍，应及时就医问诊；将宝贝靠在有椅背的沙发上，他可以保持坐姿，但很容易侧翻倒；宝贝躺倒时会努力翻身，你会发现宝贝的脚老是跨翻到侧面，此时只要助他一臂之力，宝贝就能顺利翻过去；宝贝小小的手部肌肉会变得很有力量，可以紧握住摇铃玩具摇出声音，不再一直握紧拳头，或主动将小手张开，看到东西就会伸手去拿。

5～6个月的宝贝，已是很有力气的小淘气，能够自己翻身趴着，不过有的宝贝只会翻同一边，若宝贝迟迟不会翻身，有可能是衣服穿得太厚了；发育快一些的宝贝，已经会用双手支撑着坐下而保持不倒，小手能自己拿着磨牙饼吃；你若抱着他时，他喜欢站在你的腿上不安分地跳动；换尿布时，他躺着两个脚踢个不停，将小脚举高用手抓住，也会吃自己的小脚；将手帕盖在宝贝的脸上，他会立刻将手帕拿开。

2. 正常发育的智力与情绪表现

4～6个月的宝贝，开始会认人了，对看过的东西也有印象了，看到陌生人可能会感到疑惑继而哭泣，只有妈妈的怀抱能让宝贝觉得安心；宝贝喜怒哀乐的表情已十分丰富，爱与人玩耍、跟人咿咿呀呀地对话；喜欢有人陪伴，独处时可能会觉得孤单而大哭；逗他时会咯咯笑，甚至开心地舞动手脚；非常喜欢大人捂着眼睛，跟他玩躲猫猫游戏。

当呼唤宝贝小名或身旁有声响时，他会转过头去找声音的来源，若在宝贝耳边发出较大的声响，他都没有反应，可能是宝贝的听觉有异常，应及时到医院问诊；宝贝听到喜欢的音乐显得很高兴，听到吵架生气的声音显露出不安的表情，对周遭的感觉和反应愈来愈敏锐；宝贝虽然听不懂大人的语言，但是爸爸妈妈要多跟宝贝说话，这样宝贝的语言与智力发展才比较快，而且也能感觉到父母的浓浓爱意，建立安全感与自信心。

3. 宝贝的日常护理要点

4～6个月的宝贝，已经能认得身边最亲近的照顾他的人了，所以一看到妈妈就会很高兴。此阶段的宝贝对任何新事物都觉得新鲜有趣，整天躺在婴儿床上已不能满足他的需要。若一直将宝贝放在婴儿床内，不但会导致宝贝运动量不足，宝贝也会因为被冷落而导致情绪发展异常。不妨让宝贝在干净的地板上俯卧玩耍、抱宝贝照照镜子、给宝贝拿洗澡时的玩具玩水，或带宝贝到邻近公园散步半小时，让宝贝在温暖的阳光下呼吸新鲜的空气，你会发现宝贝每天都有不同的进步喔。

这一阶段宝贝开始学翻身了，记得要把宝贝婴儿床的护栏拉起，以免宝贝跌落。抓到东西就往嘴里放是宝贝在这个阶段的另一特征，要避免将能放进嘴里的玩具与物品放在宝贝身旁，以免宝贝误食噎住；此时宝贝的手力还不够，不要给宝贝玩较重的玩具。

许多父母觉得宝贝如此可爱，就会不时抱着宝贝上下抛动，只要宝贝醒着就不断地逗弄他，其实这样对宝贝的发育会有不良影响。4～6个月的宝贝头部比较重，但脖子部位的肌肉及骨关节还未发育完全，抛动宝贝会使他的脑部受到过于强烈的震动，有碍智力发展，甚至会损害脑部。而一直逗着宝贝玩，会使宝贝无法学会自己游戏，养成依赖性，只要醒来没看见大人在身边就容易哭，使父母在照顾上很辛苦。

<table>
<tr><th>4～6个月宝贝成长指标</th><th>具体表现</th></tr>
<tr><td>正常的动作表现</td><td>□ 醒着时不停舞动手脚。
□ 趴着时可将头部抬起。
□ 坐起时，头不会向后倒，脖子能够完全直立。
□ 躺倒时努力想翻身，习惯跨翻到侧面。
□ 手可以紧握玩具摇铃摇出声，不会一直握紧拳头，看到东西会伸手去拿。
□ 被人抱着时，喜欢双腿站立且不安分地跳动。
□ 躺在床上时，两只脚会踢个不停，将小脚举高用手抓住，或者吃自己的小脚。
□ 能将盖在脸上的东西伸手拿掉。</td></tr>
<tr><td>正常的智力与情绪表现</td><td>□ 会认人。
□ 看到陌生人容易哭泣，被妈妈抱着容易安静下来。
□ 有喜怒哀乐，表情丰富。
□ 爱与大人玩耍，咿咿呀呀地冒话。
□ 发现身边没人陪伴，会大哭。
□ 别人逗他时，会咯咯笑。
□ 耳旁有声响或被呼唤名字时，会去找声音的来源。
□ 对声音有明显的好恶。</td></tr>
<tr><td>日常护理要点</td><td>□ 主动多跟宝贝说话。
□ 不能整天把宝贝放在婴儿床里，可将宝贝放在干净的地板或垫子上玩耍。
□ 常带宝贝到邻近的公园散步，在温暖的阳光下，呼吸新鲜空气。
□ 把宝贝婴儿床的护栏拉起，以免宝贝攀爬时跌落。
□ 避免将可放进嘴里的玩具与物品放在宝贝身旁。
□ 太重的玩具或物件，不能让宝贝够到。
□ 不宜抱着宝贝上下抛动，尤其在饭后。
□ 不宜长时间持续逗宝贝玩。</td></tr>
</table>

注1：4～6个月宝贝的成长发育状况不尽相同，动作、智力与情绪表现也有差异，本表为多数4～6个月宝贝的共性特点，作为家长的自查参考。有符合的请在“□”里勾选“√”。

4. 宝贝长牙及接种须知

4～6个月大的宝贝爱流口水，这是因为第一颗乳牙快要长出来了。通常6个月以后，宝贝可能会长出两颗下门牙，这代表着宝贝开始有咀嚼动作，逐渐向吃固体食物的阶段发展，不过也有的宝贝到一周岁才开始长牙，长牙时间相差4～6个月都属正常情况，妈妈们对此不用太担心。

宝贝长牙时可能有流口水、发烧、拉肚子、食欲不佳、不安等状况，不妨给宝贝一些咬牙的固齿玩具，让宝贝磨磨牙床觉得舒服些；也可帮宝贝换孔洞大一些的奶瓶奶嘴，让宝贝吸奶时不需太过用力而导致牙龈疼痛；为避免宝贝蛀牙，用餐后应给宝贝喝些温开水，或用干净纱布套住手指，沾点水帮宝贝清洁舌头、牙龈和牙齿。

宝贝从出生时起就要开始接种疫苗了。以北京市给新生儿所打疫苗为例，刚出生后需要给宝贝打卡介苗（预防结核病）和乙肝疫苗第一针，4个月之前还要打乙肝疫苗第二针、脊灰疫苗（预防脊髓灰质炎）前两针、无细胞百白破疫苗第一针。4～12个月的宝贝，需要打乙肝疫苗第二针、脊灰疫苗的第三针、无细胞百白破疫苗第二针和第三针、麻疹风疹二联疫苗第一针、流脑疫苗的前两针。妈妈们应留意所在城市和地区的疫苗接种情况，按照疫苗接种证上的日期及时去定点医院打疫苗或进行体检。宝贝打完疫苗后，如有过敏或不适症状，应及时去医院就诊。

5. 宝贝成长的传统习俗

收涎：在中国南方一些地区，宝贝满4个月的时候，要“做四月日”，准备牲礼、红龟果、酥饼祭拜祖先，收起宝贝的垂涎，祈福宝贝不再一直流口水，平安顺利地长大。另外，还要用红线绑在宝贝手脚上，让宝贝长大后做个堂堂正正的人；将12个或24个酥饼穿过红线串成一串挂在宝贝脖子上，请好福气的长辈或亲友剥下一片饼，在宝贝嘴巴周围抹一抹，念些吉祥话，如“收涎收离离，让你明年招小弟”、“收涎收完，大汉作状元”。

收涎在早期是一种向亲友报喜的意思，因为以前的医疗水平不发达，3个月以前的孩子很容易早夭，所以宝贝满4个月算是度过了最初的生存危机，可以告知亲友庆祝了。

发孤齿，走姑路：宝贝每次长牙都是长两颗，如果只长了一颗就叫“孤齿”，这时候就要由宝贝的姑姑洗米，然后将洗米水煮熟，泡牛奶给宝贝喝，或者是买奶粉给宝贝吃，这称为“吃姑米”。若宝贝的头发有区域性稀少，叫做“姑路”，这是因为被姑姑走出一圈路的关系，这时候姑姑就要买双鞋给宝贝穿，祈求宝贝的头发快点长出来。

4～6个月宝贝辅食菜单

4～6个月宝贝每日辅食订餐表			
	【米汤】	【米麦糊】	【果菜汁】
早餐			
午餐			
晚餐			

妈咪主厨（签名）：

宝贝食客（签名）：

宝贝用餐满意度：☆ ☆ ☆ ☆ ☆

日期：________

4～6个月宝贝自选辅食单	
○米汤类	①白米汤 ②菠菜米汤 ③柳橙米汤 ④雪梨米汤 ⑤番石榴米汤
□米麦糊类	①自制白米糊 ②婴儿麦糊 ③豌豆米糊 ④胡萝卜米糊 ⑤葡萄汁米糊 ⑥苹果汁麦糊
△果菜汁类	①苹果汁 ②水蜜桃汁 ③柳橙汁 ④番茄汁 ⑤葡萄汁 ⑥小白菜汁 ⑦菠菜汁 ⑧苋菜汁

“每日辅食订餐表+自选辅食单”使用说明

（1）针对4～6个月宝贝与妈妈亲子互动，旨在让辅食喂养变得轻松有趣，使妈妈有为宝贝下厨的欲望，也让宝贝在懵懂点餐时，对颜色、形状和数字有初步启蒙。

（2）妈妈可在电脑上制作空白的“每日辅食订餐表”，批量打印备用。

（3）每一餐辅食制作前，妈妈可在“自选辅食单”的三类辅食中各选出一种菜品，用正确颜色的笔（蜡笔或水彩笔），画出正确的符号和数字，填写在“每日辅食订餐表”的对应栏目处。

例如，早餐一栏可这样填写——

	【米汤】	【米麦糊】	【果菜汁】
早餐	○ 1	□ 2	△ 3

（4）宝贝吃完当天辅食后，妈妈应在“妈咪主厨（签名）”一栏签名；让宝贝在“宝贝食客（签名）”一栏，按下指印或手掌印；“宝贝用餐满意度”一栏有五颗空白的小星星，可根据宝贝意见，用红笔在上面涂满相应的几颗星，如满意度为四颗星，即涂写为“★★★★☆”；“日期”一栏，写下具体年月日。

（5）每日辅食订餐表填写完毕后，建议放入专用文件夹里归档整理，作为宝贝辅食喂养的记录，这也是妈妈和宝贝之间最值得回味的亲子记忆。

4个月以上

白米汤

食材 白米……半杯

水……1000毫升

做法

1 舀半杯米，用清水洗净。

2 沥干水分后，放入锅里加1000毫升水，浸泡30分钟。

3 用大火将米煮滚，约需2分钟。

4 转小火熬煮至汤汁微白，熄火加盖，焖约10分钟。

5 待冷后，过滤出汤汁，即为米汤成品。

小贴士

4个月后，可以用米汤逐渐取代温开水来冲泡配方奶粉。平常若以母乳喂食的妈妈，可以用小塑料汤匙另外喂给宝贝吃。

4个月以上

自制白米糊

食材 白粥……1大匙

米汤……1大匙

做法

取过滤后的白粥与米汤放入研磨钵中，用研磨棒磨成泥状，即可给宝贝食用。

4个月以上

婴儿米糊

食材 婴儿米粉……1匙

米汤……60毫升

做法

使用配方奶粉中所附量匙，量取1匙婴儿米粉，加入米汤中拌匀，即可给宝贝食用。

4个月以上

婴儿麦糊

食材 婴儿麦粉……1匙

米汤……60毫升

做法

使用婴儿配方奶粉中所附量匙，量取1匙婴儿麦粉，再加入米汤中拌匀，即可给宝贝食用。

小贴士

4~6个月的宝贝，母乳或配方奶粉仍然是饮食首选，米汤或米糊类辅食只是有益补充。对麦粉过敏的宝贝应勿食麦糊。

柳橙米汤

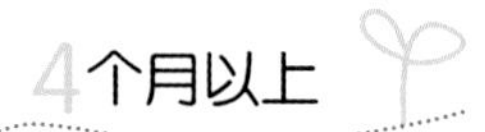

4个月以上

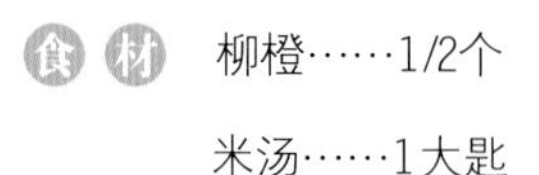

食材 柳橙……1/2个

米汤……1大匙

做法

1 柳橙洗净后切半，用榨汁器榨出柳橙汁备用。

2 取1大匙柳橙汁和米汤拌匀，即可给宝贝食用。

雪梨米汤

4个月以上

食材　雪梨……1/4个

米汤……1大匙

做法

1 将雪梨洗净，去皮去籽后，用研磨器磨成泥，再过滤出汁。

2 取1大匙雪梨汁和米汤拌匀，即可给宝贝食用。

番石榴米汤

4个月以上

食材　番石榴……1/4个

米汤……1大匙

做法

1 将番石榴洗净去籽后，用研磨器磨成泥，再过滤出汁。

2 取1大匙番石榴汁和米汤拌匀后，即可给宝贝食用。

小贴士

番石榴又称“芭乐”、“拔子”，是原产自热带美洲的水果。果皮一般为绿色、红色、黄色，果肉有白色、红色、黄色等，其肉质柔软细嫩，肉汁丰富，味道甜美，几乎无籽，富含大量的钾、铁、胡萝卜素等，营养极其丰富。

小贴士

刚开始给宝贝喂辅食，可用一种水果加米汤少量喂食。等宝贝适应辅食后，再加量或者更换另一种水果。宝贝6个月大时，可尝试用果汁、未过滤的果泥和米糊拌匀的方式加工辅食。

豌豆米糊

5个月以上

食材 豌豆……1大匙

米糊……1大匙

做法

1 将1大匙豌豆煮熟，放在滤网上，用汤匙压碎，过滤出豌豆泥备用。

2 待豌豆泥略降温后，再和米糊一起拌匀，即可给宝贝食用。

小贴士

豌豆中富含维生素C、能分解体内亚硝胺的酶，以及丰富的膳食纤维，可防止宝贝便秘，有清肠作用，也可增加菜肴色彩，促进宝贝食欲。

胡萝卜米糊

5个月以上

食材 胡萝卜……1/2个

温开水……30毫升

婴儿米粉……1/2匙

小贴士

可以用煮胡萝卜的汤汁来取代温水，调制此道米糊。

做法

1 胡萝卜洗净去皮后，切成小块，用水煮熟，捞出沥干水分，再用研磨器磨成泥状。

2 使用婴儿配方奶粉中所附量匙，量取1/2匙婴儿米粉，和温开水一起拌匀，再加入1小匙胡萝卜泥，拌匀后即可给宝贝食用。

5个月以上

葡萄汁米糊

食材 葡萄……10颗

米糊……2大匙

做法

1 葡萄洗净，放在碗内，加入盖过葡萄的热开水，浸泡2分钟后沥干水分，去除果皮和籽备用。

2 将备好的葡萄用研磨器磨成泥，过滤出葡萄汁，再和米糊拌匀，即可给宝贝食用。

小贴士

等宝贝适应吃辅食后，可无需过滤，将葡萄泥、葡萄汁和米糊一起拌匀后喂食，并依需要增加分量。

苹果汁麦糊

5个月以上

食材 苹果……1/4个

婴儿麦粉……1匙

做法

1 苹果洗净，去皮去籽后，用研磨器磨成泥，过滤出苹果汁备用。

2 使用婴儿配方奶粉中所附量匙，量取1匙婴儿麦粉，与1小匙苹果汁一起拌匀，即可给宝贝食用。

5个月以上

苹果汁

食材　苹果……1/4个

做法

1 将苹果用清水洗净。

2 用湿巾将苹果表面水分仔细擦干。

3 用水果刀切开，取1/4部分，将外皮削掉。

4 用夹子固定苹果，再用磨泥器磨成泥状。

5 利用网筛滤出苹果汁。

6 以较多温开水与苹果汁混合均匀后，即可给宝贝食用。

小贴士

4～5个月的宝贝所饮用的果汁，都要将果肉及粗纤维滤除干净。

混合汁的分量可依照宝贝的食量决定，刚开始可先取10毫升苹果汁稀释，再慢慢增加分量，提高浓度。苹果含有丰富的铁质，接触空气容易氧化，故每次制作时，要取未切开的苹果榨汁，确保宝贝吃到最新鲜的苹果汁。

4个月以上

番茄汁

食材　大番茄……1/4个

做法

1 将番茄洗净，在尾部用刀轻轻划切出十字纹，放入滚水中，取出后将皮去掉。

2 取1/4块番茄，放入研磨钵中捣成泥状，再滤出番茄汁备用。

3 以较多温开水与番茄汁混合均匀后，即可给宝贝食用。

4个月以上

柳橙汁

食材　柳橙……1/2个

做法

将柳橙洗净后切半，用榨汁器榨出柳橙汁，以较多温开水与柳橙汁混合均匀，即可给宝贝食用。

小贴士

刚开始制作果汁时，宜选择不会产生过敏的柳橙或苹果制作饮品。最好选定一种水果，持续喂宝贝果汁3天，若没有不良反应，再慢慢发展至其他种类的水果。

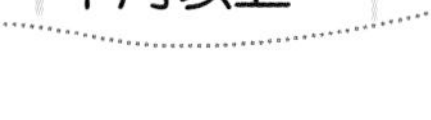

水蜜桃汁

食材 水蜜桃……1/2个

做法

1 将水蜜桃洗净后切半，去皮去核后放入研磨钵中捣成泥状，再过滤出水蜜桃汁备用。

2 以1：1的比例将温开水与水蜜桃汁混合均匀后，即可给宝贝食用。

葡萄汁

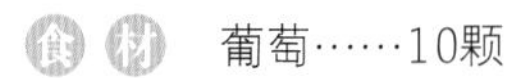

食材 葡萄……10颗

做法

1 将葡萄洗净，放在碗内，加入热开水盖过葡萄，浸泡2分钟后沥干，去果皮去籽备用。

2 将葡萄用铁汤匙压挤出葡萄汁。

3 以较多的温凉开水与葡萄汁混合均匀后，即可给宝贝食用。

小贴士

预防水果表面农药残留的最佳方法，即削皮或去皮后品尝（如柳橙、苹果等）。若是习惯于连皮品尝的水果（如杨桃、番石榴等），则务必以海绵将表皮搓洗干净，或是将水果浸泡于盐水中约10分钟，以大量清水冲洗干净再食用。

小白菜汁

5个月以上

食材 小白菜……1根

水……120毫升

做法

1 将1根小白菜切除根部后剥开，用清水彻底洗净。

2 将小白菜切小段。

3 取120毫升水，放入小锅中煮滚，再放入小白菜，煮约1分钟后熄火。

4 利用网筛过滤出小白菜汁，即可给宝贝食用。

小贴士

汤，是大量的水和各种蔬菜、肉类以及一些其他佐料经长时间文火慢炖而成；汁，在饮食上讲，是混有某种食材的水，相对而言未稀释的原汁浓度较高，呈粘稠状。给宝贝喝蔬菜汁时可加少量的盐调味。

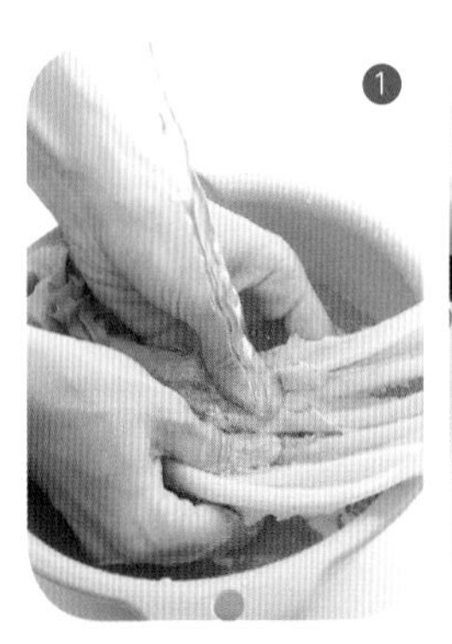
①

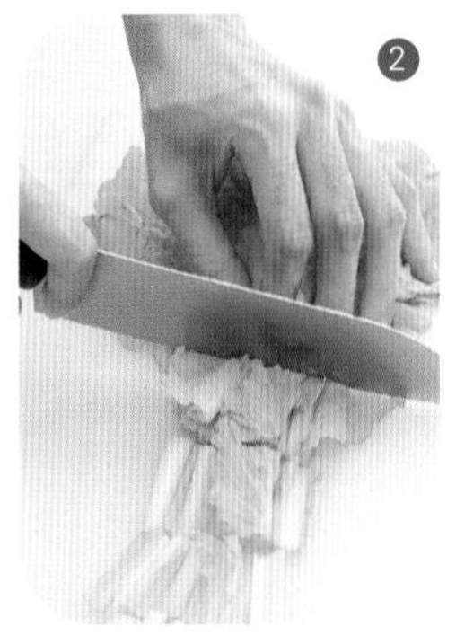
②

③

④

5个月以上

菠菜汁

食材 菠菜……1根

水……120毫升

做法

1 将1根菠菜切根后剥开，用清水彻底洗净，再切成小段备用。

2 将水煮滚，放入菠菜，煮约1分钟后熄火，用滤网过滤出菠菜汁，即可完成。

小贴士

由于蔬菜多是生食，建议购买有机种植的芽菜类和莴苣类，因栽种的关系，此类蔬菜表面较无农药残留问题，同时为了卫生安全起见，建议在制作辅食之前，仍要以大量的清水洗净，尤其以凉开水冲洗效果更好，可避免自来水中的细菌残留。若宝贝肠胃较弱，不妨等他大一点再给予生菜辅食。

小贴士

蔬菜汁开始可以先按1小匙喂，等宝贝适应辅食后，再以适当的比例，将米汤拌蔬菜汁喂食。此阶段也适应后，可再加量，或者加入米糊或菜泥。

5个月以上

菠菜米汤

食材 米汤……30毫升

菠菜汁……30毫升

做法

将米汤、菠菜汁加热后，混合均匀，即可给宝贝食用。

苋菜汁

5个月以上

食材 苋菜……1根

水……120毫升

做法

1 将苋菜切除根部后剥开，用清水彻底洗净，再切小段备用。

2 将水煮滚，放入苋菜，煮约1分钟后熄火，用滤网过滤出苋菜汁。

小贴士

苋菜富含蛋白质、脂肪、糖类及多种维生素和矿物质，其所含蛋白质比牛奶更能充分被人体吸收，所含胡萝卜素比茄果类高出2倍，有利于提高宝贝的免疫力、促进生长发育，其铁含量是普通菠菜的1倍，钙含量则是3倍，有“长寿菜”的美誉。

妈咪主厨的辅食喂养日志（一）

时至今日，仍记得宝贝吃下第一口辅食的表情，那种感动和欣喜终生难忘。或许正是这种难忘的表情，给了我继续当好妈咪主厨，为宝贝亲手制作辅食的决心。

那时候，宝贝吃完一口辅食就会哭一次，“来不及喂”是此阶段喂辅食最有趣的事，“只要吃到东西就不哭”是宝贝的一大特点。犹记得宝贝由于吃不到想吃的辅食而急得大叫的可爱样子。

为了让宝贝习惯主食以外的味道，熟悉汤匙的触感，我会教他如何闭着嘴巴吞东西。宝贝开始长牙时，我开始自制牙饼，将土司切去硬边，切成约1厘米见方的长条状，放入烤箱烤成金黄色。

喂宝贝辅食最重要的是控制好分量，若宝贝因为食欲不足而哭，不妨给宝贝喝点温开水，或跟宝贝玩游戏转移他的注意力。婴儿时期的肥胖，会导致脂肪细胞增加，演变成肥胖体质，所以妈咪主厨一定不要给宝贝喂太多糖类或脂肪类食品喔。

建议妈妈们都将宝贝第一次吃辅食的样子拍下来，作为对自己亲自下厨的鼓励和一种珍贵的礼物吧。

惠玲

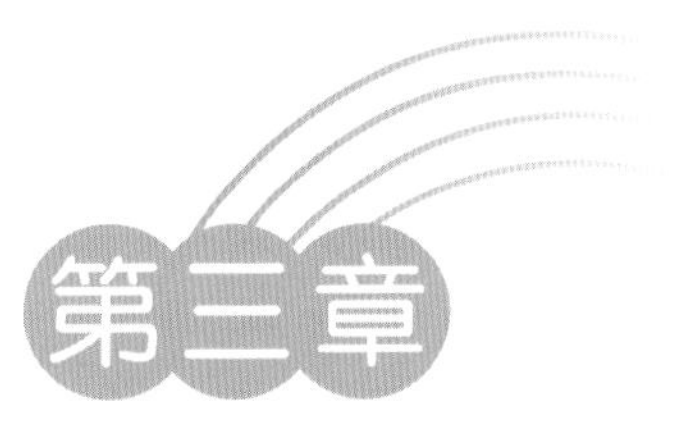

第三章

7～9个月 中段半流质辅食菜单

- 7～9个月宝贝正常发育的动作及情绪表现
- 7～9个月宝贝日常护理要点
- 29道适合此阶段宝贝的精选辅食

7～9个月宝贝成长备忘录

7～9个月的宝贝，可以坐着儿童车四处探险；在学会任意爬行后，眼前的世界愈来愈广阔和丰富多彩。这个阶段的宝贝又长大了，可爱的小脸看起来成熟不少，变得异常活跃，智力的进步也很明显，活泼与文静的个性并存。

7～9个月的宝贝，长高与增胖的速度不再像前6个月那么快速，其心理的发展远比生理上的发育更让爸爸妈妈感到意外喔。

宝贝生理指标	7～9个月宝贝性别及成长值	
身高（厘米）	男宝贝	71～75
	女宝贝	69～73
体重（千克）	男宝贝	9.1～9.8
	女宝贝	8.5～9.2
头围（厘米）	男宝贝	44.8～45.9
	女宝贝	43.8～44.8

注1：每个宝贝遗传因素不同，高矮胖瘦无固定标准，符合生长曲线即为发育正常。本表数值仅供参考。

1. 发育正常的动作表现

7～8个月的宝贝，已经能坐得很稳，开始努力移动身体、学爬行。起初，宝贝还没有办法用手脚撑起身体，只能将小肚子贴在地上爬动，有的宝贝会原地打转，有的不进反退，可爱逗趣的样子十分有趣。此阶段宝贝会尝试扶着小床站起来，妈妈需要小心地看着宝贝，但不必过于担心，因为过一段时间宝贝就能自己抓稳站立。此阶段应鼓励宝贝自己四处爬行，扩展行动范围，让宝贝随心所欲地四处探险。

宝贝的双手已经能拿着东西互相敲打，喜欢抢妈妈手上喂食的汤匙；撕纸是宝贝最喜欢的游戏，也是一种增强手部灵活性的锻炼，妈妈不妨给宝贝一些没用的废纸（不要含铅字的报纸）让宝贝撕着玩，只要宝贝不将碎纸吃下去就好；另一种让宝贝高兴的游戏是“躲猫猫”，若爸爸妈妈躲起来呼唤宝贝的名字，宝贝会探头探脑、四处找寻声音，然后期待大人叫一声露出脸来，他会因此开怀大笑，这种游戏宝贝可谓百玩不厌。

等到宝贝9个月大时，就能够很利索地爬行，还可以自己翻身坐起，扶着床头就能迅速站起来；有时宝贝会很调皮，拉住妈妈的头发不放，或者伸手摘爸爸的眼镜，换尿布时翻身就爬走，橱柜里的东西全都翻出来……手脚发达的小宝贝已经相当不安分，让妈妈变得越来越忙碌。

2. 发育正常的智力与情绪表现

7～9个月的宝贝，开始有自我意识，如果你拿走他手中的玩具，他会用力抓紧不放，或是通过大喊大哭来表示不满；若你在宝贝眼前把玩具藏起来，他懂得去找，此时宝贝的记忆力已经很好，不是那么容易被糊弄的啦。这一阶段宝贝开始模仿大人的动作，喜欢拿起听筒或手机学大

人打电话；妈妈若用手敲桌子，宝贝也会学着敲桌子；若妈妈拍手，宝贝也会跟着拍手。宝贝有时会把婴儿床里的东西全都丢出来，然后低头去看你捡东西，你越捡他就越丢。宝贝还会观察东西掉下去有什么反应，他正经历“物体恒存”的认知阶段。

用动作来表达想法，是7～9个月宝贝的特质：他会伸出双手要你抱抱，看到奶瓶会爬到你身边表示想喝；他已经能辨认生人和亲人，开始出现“认生”反应，此时不妨常带宝贝到外面走走，多与外人接触，以改善怕生的心态。这一阶段宝贝会发出类似“爸爸”、“妈妈”的含混声音，但并不具有真实含义；宝贝渴望获得注意与关爱，特别喜欢撒娇和黏人，应满足宝贝的心理需求，不要觉得宝贝烦人，以免使宝贝产生不安全感。

等到9个月大时，宝贝已经大概听得懂大人说话的意思，也能看出父母的表情是高兴还是生气，此时可告诉宝贝什么是危险的、千万不能做的。除了还不会说有实在意义的话，宝贝的小脑袋瓜已经明白许多事，会用手指出妈妈在哪里，会挥挥手表示再见，会点点头表示谢谢，也渴望大人拍手称赞他。

3. 宝贝的日常护理要点

7～9个月的宝贝，喜欢撕纸时发出的声音，一拿到纸就撕，家长记得要把重要文件与书收好，不要因为自己的疏忽让宝贝撕坏了重要东西，反而因此生气责备他。若选择学步车，要将座位调到适合宝贝的高度，让宝贝坐着时膝盖是弯曲的，给宝贝穿上软鞋或者防滑袜，以免横冲直撞的宝贝，一下子冲得太快而撞上家具。

这一阶段宝贝已经可以到处爬，要特别注意环境的清洁与安全：剪刀等危险物品要往高处放，不用的插座孔要用安全护盖盖上，尖锐的桌角要用防护套套起，蟑螂药不可放在角落的地上以免宝贝误食，最好能在宝贝活动范围内铺上泡棉式地垫；餐桌布最好也要收起来，因为宝贝可能因为不懂而去拉垂下的桌巾，导致跌倒或是被桌上掉落的物品砸伤；像落地灯、花架等容易碰倒的家具要固定或者收起来，以免宝贝抓扶时造成危险。

7～9个月宝贝成长指标	具体表现
正常的动作表现	□ 能坐得很稳。 □ 习惯移动和学习爬行，试着用手脚撑起身体。 □ 尝试扶着婴儿床站起来，逐渐可以抓稳扶手和直立。 □ 双手会拿着东西互相敲打，喜欢抢妈妈手上喂食的汤匙。 □ 喜欢撕纸。 □ 喜欢跟爸爸妈妈玩“躲猫猫”游戏。 □ 有时会很调皮，拉住妈妈的头发不放，或者伸手摘爸爸的眼镜，换尿布时翻身就爬走，橱柜里的东西全都翻出来，等等。
正常的智力与情绪表现	□ 用力抓紧玩具不放。 □ 懂得去找东西，记忆力增强。 □ 开始模仿大人的动作，比如拿听筒或手机打电话、敲桌子、拍拍手等。 □ 喜欢丢东西让大人捡，大人越捡他越丢。 □ 伸出双手要抱抱。 □ 发出类似“爸爸”、“妈妈”的含混声音，大概听得懂大人说话的意思，也能看出父母的表情是高兴还是生气。 □ 喜欢撒娇和黏人，会辨认生人和亲人。
生活护理要点	□ 等到宝贝9个月大时，要告诉他什么是危险的、不能做的。 □ 把重要纸质文件和书收好，不要因为疏忽让宝贝撕坏了。 □ 剪刀等危险物品要往高处放。 □ 不用的插座孔要用安全护盖盖上，尖锐的桌角要用防护套套起，灭虫药不可放在角落的地上，最好在宝贝活动范围内铺上泡棉式地垫。 □ 桌布最好收起来，落地灯、花架等容易碰倒的家具要固定好或者收起来。 □ 至少下午要让宝贝多睡一会儿，尽量让宝贝在白天多玩多活动，保证睡眠有规律。

注1：7～9个月宝贝的成长发育状况不尽相同，动作、智力与情绪表现也有差异，本表为多数7～9个月宝贝成长的共性特点，作为各位家长的自查参考。有符合的请在“□”里勾选“√”。

此阶段要让宝贝养成有规律的生活习惯，精力充沛的宝贝会因为对事物的新奇感而舍不得睡，妈妈至少午后都要让宝贝多睡一会儿以补充体力，尽量让宝贝在白天多活动，这样晚上累了才能乖乖睡觉，否则早上起得太早或者很晚不睡，会搅乱家庭的正常作息。

4. 宝贝爬行及清洗乳牙须知

7～9个月的宝贝喜欢爬行，爬行是一种强调姿势与动作对称协调的运动，可以强化宝贝肌肉的力量，有助于小脑平衡功能与肌肉神经协调发展。藉由爬行时高度的转换，可使宝贝对视觉空间更有概念。此外，在学爬的过程中宝贝需要克服某些障碍，这能培养宝贝自己解决问题的能力，使宝贝有自信，妈妈不要因为过于担心宝贝的安全，就一直把宝贝放在婴儿床里。

没有经历爬行就学走路，对宝贝的发育非常不利，会导致宝贝感觉统合功能失调，长大后容易出现走路不稳、上课坐不住、手脚不协调等问题，所以妈妈要多鼓励宝贝爬行。

宝贝趴着的时候，妈妈可以把喜欢的玩具放在稍远的前方，吸引他爬过去拿；当宝贝想要向前爬却无法前进时，妈妈可以用手顶住宝贝的脚掌，让他借力往前蹬，让宝贝知道这样努力可以拿到想要的东西；若宝贝不愿意爬行，可以让宝贝觉得爬行是一种游戏，妈妈可以爬在宝贝的前面让他追，让宝贝觉得爬行很有趣，渐渐地宝贝就会喜欢爬行了。

这一阶段宝贝已经长出4颗门牙，由于辅食的种类逐渐增加和变化，此时应注意对宝贝乳牙的清洁，千万不要以为“反正宝贝还会换牙”就不用太在意，否则不仅宝贝很容易因为蛀牙疼痛，也会使恒齿长得不整齐；每次餐后可以用有弹性的婴儿专用硅胶牙刷，沾清水帮宝贝清洁口腔，可藉由宝贝爱模仿的特质，协助他试着自己洗小手、刷刷牙，训练宝贝养成讲卫生的好习惯。

Piglet

7～9个月宝贝辅食菜单

7～9个月宝贝每日辅食订餐表				
	【肉汤】	【泥糊】	【果汁&谷浆】	【面条&米粥】
早餐				
午餐				
晚餐				

妈咪主厨（签名）：

宝贝食客（签名）：

宝贝用餐满意度：☆ ☆ ☆ ☆ ☆

日期：________

7～9个月宝贝自选辅食单				
○肉汤类	①蔬菜浓汤	②鸡骨高汤	③鲜鱼高汤	④大骨汤
□泥糊类	①木瓜泥	②香蕉泥	③豆腐泥	④火龙果泥
	⑤蛋黄泥	⑥鸡肝泥	⑦菠菜泥	⑧蔬菜鸡肉麦片糊
	⑨番薯叶泥	⑩豌豆泥	⑪南瓜泥	⑫吻仔鱼马铃薯泥
	⑬鳕鱼泥	⑭马铃薯泥	⑮番茄吐司泥	⑯奇异果泥
△果汁谷浆类	①哈密瓜汁	②糙米米浆		
◇面条米粥类	①白粥（稀）	②鲑鱼面	③小鱼丝瓜面	④菠菜牛肉面
	⑤玉米碎肉粥	⑥绿豆粥	⑦鸡肉花椰菜面	

注1：此阶段给宝贝的泥糊类辅食，可以是颗粒状，应保证宝贝牙齿的咀嚼功能。

“每日辅食订餐表+自选辅食单”使用说明

（1）针对7～9个月宝贝与妈妈亲子互动，旨在让辅食喂养变得轻松有趣，使妈妈有为宝贝下厨的欲望，也让宝贝在懵懂点餐时，对颜色、形状和数字有初步启蒙。

（2）妈妈可在电脑上制作空白的“每日辅食订餐表”，批量打印备用。

（3）每一餐辅食制作前，妈妈可让宝贝翻看本章精美辅食图片，在“自选辅食单”的四类辅食中各选出一种菜品，然后妈妈用正确颜色的笔（蜡笔或水彩笔），画出正确的符号和数字，填写在“每日辅食订餐表”的对应栏目处。

例如，早餐一栏可这样填写——

	【肉汤】	【泥糊】	【果汁&谷浆】	【面条&米粥】
早餐	○ 1	□ 2	△ 3	◇ 4

（4）宝贝吃完当天辅食后，妈妈应在“妈咪主厨（签名）”一栏签名；让宝贝在“宝贝食客（签名）”一栏，按下指印或手掌印；“宝贝用餐满意度”一栏有五颗空白的小星星，可根据宝贝意见，用红笔在上面涂满相应的几颗星，如满意度为四颗星，即涂写为“★★★★☆”；“日期”一栏，写下具体年月日。

（5）每日辅食订餐表填写完毕后，建议放入专用文件夹里归档整理，作为宝贝辅食喂养的记录，这也是妈妈和宝贝之间最值得回味的亲子记忆。

7个月以上

大骨汤

食材 猪大骨……2根

水……1500毫升

做法

1 将2根猪大骨用清水洗净。

2 猪大骨用热水焯去血水后，用清水洗净，再与1500毫升水一起煮滚。

3 边煮边用滤网捞除汤面的浮沫，再转小火熬煮至汤色变浓，约需1小时（若能熬煮3~4小时，可释放更多营养素）。

4 取出猪大骨，再过滤出汤汁。

5 等汤汁凉后放入冰箱冷藏约1~2小时，待表面凝结后，刮除油脂。

6 将汤汁倒置于冰盒中，放入冰箱，使之凝固成小块状，即可完成。

小贴士

大骨汤可稀释浓度，加入到婴儿的各类辅食菜品中，但切忌不可直接给宝贝饮用。

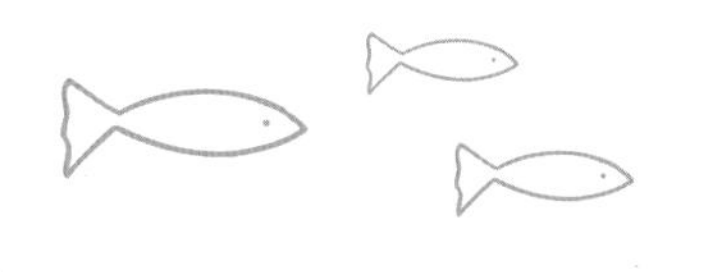

7个月以上

蔬菜浓汤

食材 高丽菜……1颗

胡萝卜……1/4根

洋葱……1/2头

水……500毫升

做法

1 高丽菜洗净，撕成小片，用热水焯烫备用。

2 胡萝卜、洋葱分别洗净后切小块，与高丽菜叶一起放入水中，用中火熬煮至蔬菜变软，再过滤出，即可完成。

小贴士

高丽菜即结球甘蓝，又称洋白菜、圆白菜、包心菜、卷心菜，含有丰富的维生素、糖类等成分，其中以维生素A最多，并含有少量氯、碘等营养素成分，与胡萝卜、花椰菜并称为三种“最适宜给不同年龄段宝贝食用的蔬菜”。

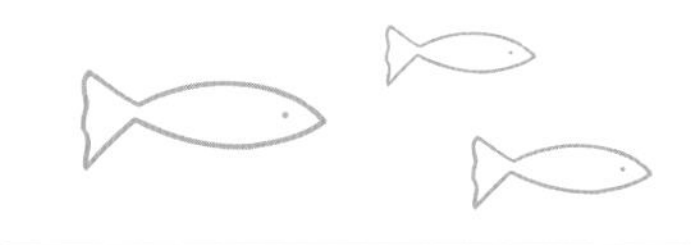

鸡骨高汤

7个月以上

食材 鸡胸骨……3副

水……1500毫升

做法

1 鸡胸骨洗净后，用热水焯除血水，洗净备用。

2 将鸡胸骨放入水中一起煮滚，再转小火熬煮至鸡骨用汤匙即可压碎的程度。

3 取出鸡胸骨，过滤出汤汁，待凉后放入冰箱冷却，约1～2小时后取出，将上面的油脂刮除后，即可完成。

小贴士

砧板在每次使用前后，都需要用洗涤剂清洗一次（尤其是处理生肉类食材时），再淋上热开水达到杀菌的效果，接着用纸巾擦拭干净即可。建议每隔1～2个星期，使用自制漂白水清洗砧板一次，将浸泡过漂白水的干净抹布摊在砧板上静置一晚，隔天再将砧板用热水反复刷洗几次至干净，如此可达到消毒杀菌的效果，保证给宝贝制作的辅食足够卫生。

鲜鱼高汤

食材 虱目鱼头……1个（约400克）

姜片……1小片

水……600毫升

做法

1 虱目鱼头洗净，与姜片、水一起煮滚后转小火，熬至鱼骨能轻易用筷子剥开的程度，约需1小时。

2 待汤汁稍凉后，用细网筛过滤2次后，即可完成。

小贴士

虱目鱼，又名麻虱目、国姓鱼、海草鱼、状元鱼、遮目鱼等，据说是郑成功初到台湾时听闻当地原住民的台语发音而得名。其肉质细嫩，味道鲜美，吃法多样，鱼肉可熬成鲜美高汤，内含17种氨基酸和丰富胶质、钙、磷，对人体的肝脏有很好的养护作用，对小孩骨骼发育有重要的补充作用，其EPA和DHA含量比普通海鱼更高。市面上若无虱目鱼，可选用类似的其他海鱼代替，建议选购新鲜鱼头熬制，做完的鲜鱼高汤最好当天食用完毕，以确保新鲜。

7个月以上

哈密瓜汁

食材　哈密瓜……1/4个

做法

1. 哈密瓜洗净，取1/4块，去皮去籽后切小块，放入果汁机中搅均匀。
2. 取出汁后与少许温开水混合均匀，即可给宝贝食用。

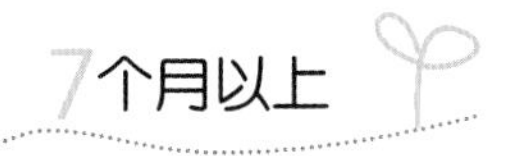

奇异果泥

食材　奇异果……1/4个

做法

奇异果洗净后去皮，取1/4个，用磨泥器磨成泥状，即可给宝贝食用。

小贴士

当宝贝长大至6～7个月时，需依照发育状况以及水果种类来决定是否需要过滤取汁，例如哈密瓜搅打后，其果肉已经完全和水分融合，可直接给宝贝食用。多数情况下可考虑多给宝贝果泥。宝贝餐后剩下的果汁及果泥，请勿隔餐再喂食，以免滋生细菌，引起宝贝肠胃不适。

香蕉泥

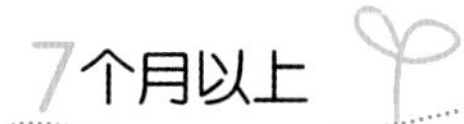

7个月以上

食材　香蕉……1/2根

做法

取1/2根香蕉去皮后，放入碗中，用汤匙压成泥状，即可给宝贝喂食。

小贴士

选购香蕉时应选表皮有少许黑斑的，这样的香蕉成熟度较高，容易压成泥状，口感香滑且无涩味。

木瓜泥

7个月以上

食材　木瓜……1/4个

做法

木瓜洗净剖开后，直接用小汤匙刮取果肉，压碎后即可给宝贝喂食。

小贴士

木瓜有“百益果王”之称，富含各种酶、维生素及矿物质，尤其是维生素A、维生素B族、维生素C及维生素E，可与配方奶混在一起给宝贝饮用。挑选木瓜时应找较熟软的，其甜度较高、果肉也较软，适合宝贝食用。

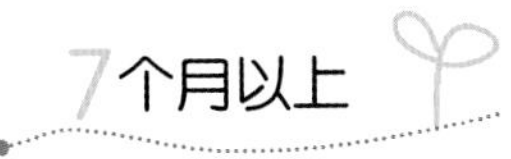

火龙果泥

食材 火龙果……1/2个

做法

火龙果洗净去皮后，用磨泥器磨成果泥，即可给宝贝食用。

小贴士

给宝贝吃果泥之前，应确保宝贝已适应每一种常见的水果果泥，以保证宝贝肠胃安全。

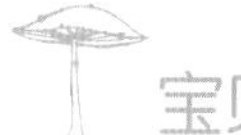

8个月以上

糙米米浆

食材 糙米……3大匙

去壳花生仁……3大匙

水……500毫升

做法

1 糙米洗净，泡水3小时后沥干水分；花生仁平铺于烤盘上，放入烤箱，以130℃烤至表面呈金黄色，备用。

2 将糙米、花生仁放入水中，置于豆浆机中，搅打至颗粒绵细。

3 用大火煮滚后转中小火，边煮边将浮沫捞除，煮约10分钟后熄火，即可给宝贝食用。

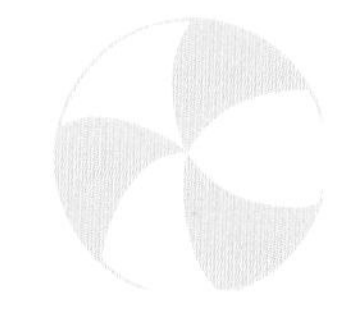

小贴士

糙米是稻谷经脱谷机脱去稻壳后得到的一种全谷粒大米，其去壳后仍保留些许外层组织，故而口感较粗，质地紧密，煮起来比较费时。与普通精致白米相比，糙米富含脂肪、维他命、矿物质与膳食纤维，是一种绿色的健康食品。

7个月以上

鸡肝泥

食材 鸡肝……1块

水……适量

做法

1 鸡肝洗净，放入小锅里，加入可盖过鸡肝的水，煮至鸡肝熟后捞起。

2 煮熟的鸡肝用研钵捣成泥状，再慢慢舀入煮鸡肝的汤，调整好浓稠度，即可给宝贝食用。

小贴士

肉泥的浓稠度，可视宝贝的月龄慢慢由稀到浓，分量也相应由少到多。

豌豆泥

8个月以上

食材 豌豆……100克

做法

1 豌豆洗净，放入滚水中煮至熟透，约需5分钟。

2 捞出沥干水分后，放入研钵中捣成泥状，再用筛网过筛后，即可给宝贝食用。

小贴士

应避免将多种食材混合在一起，避免引起宝贝过敏。

马铃薯泥

8个月以上

食材 马铃薯……1/2个

做法

1 马铃薯洗净，连皮放入水中，煮至熟软后取出。

2 将煮好的马铃薯切半，再剥除外皮，压拌成泥状，即可给宝贝食用。

番薯叶泥

8个月以上

食材 番薯叶……60克

做法

1 番薯叶去梗取叶，洗净后放入滚水中，煮至熟透。

2 煮熟的番薯叶捞起后沥干水分，放入研钵中捣成泥状，即可给宝贝食用。

小贴士

番薯叶含丰富胡萝卜素、维生素C、钙、磷、铁及人体必需氨基酸，且草酸含量又较少，具有清热解毒的功效。其富含的植物纤维能加快食物在宝贝肠胃中的运转，具有清洁肠道的功效。

8个月以上

菠菜泥

食材 水……适量

菠菜……2根

做法

1 菠菜洗净后切小段，放入滚水中煮约1分钟，取出沥干水分备用。

2 煮好的菠菜与水一起放入搅拌机中，搅打成泥状，即可给宝贝喂食。

小贴士

作为食材的绿叶蔬菜，最好按其生长方式保存。大部分蔬菜都是直立生长，若空间许可的话，建议直立式放入冰箱储存，这样可延长蔬菜寿命，并且保证口感。若短时间不食用或剩余的蔬菜，先不要清洗，用保鲜膜或塑料袋密封，将水分留住。在冰箱冷藏室存放一周以上的蔬菜，不宜再给宝贝制作辅食。

蛋黄泥

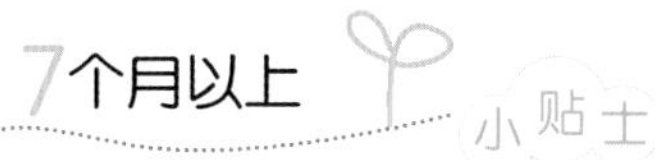

7个月以上

食材 鸡蛋……1个

水……适量

做法

1 将鸡蛋洗净，放入小锅里，加入可盖过鸡蛋的水，煮至蛋熟后捞起，浸泡冷水。

2 剥除蛋壳，取出蛋黄备用。

3 用汤匙将蛋黄压成泥状，即可给宝贝食用。

小贴士

在宝贝适应蛋黄泥的味道后，可将蛋黄分量适当增加。

豆腐泥

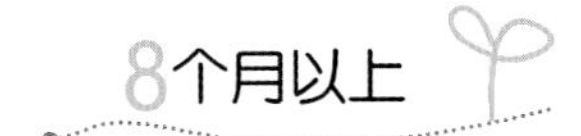

食材　豆腐……1/2个

水……适量

做法

1 将豆腐放入小锅里，加入可盖过豆腐的水，煮至豆腐熟后捞起。

2 煮熟的豆腐沥干水分后，放入碗中，用汤匙压成泥状，即可给宝贝食用。

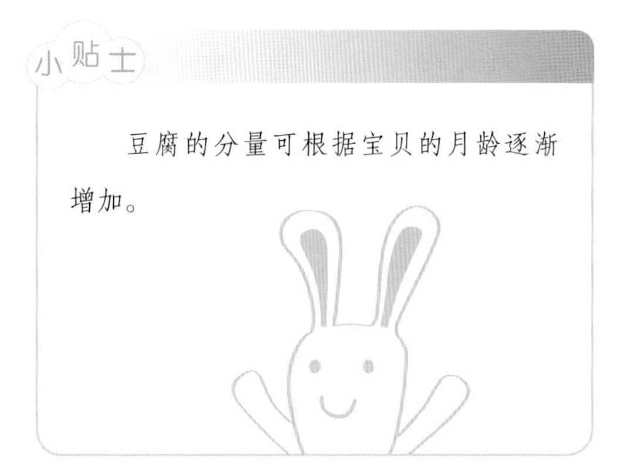

7个月以上

鳕鱼泥

食材 鳕鱼……200克

水……适量

做法

1 鳕鱼洗净，放入小锅里，加入可盖过鱼肉的水，煮至鱼肉熟后捞起。

2 将煮熟的鳕鱼肉用研钵捣成泥状，再慢慢调入煮鱼肉的汤，调整好浓稠度，即可给宝贝食用。

吻仔鱼马铃薯泥 8个月以上

食材 吻仔鱼……1小匙（剔除鱼骨）

马铃薯泥……2大匙

鸡骨高汤……30毫升

做法

1 吻仔鱼去骨洗净后备用。

2 将鸡骨高汤加热，放入吻仔鱼，煮熟后捞起。

3 趁热拌入马铃薯泥，并用汤匙将吻仔鱼压碎，剔除鱼刺后，即可给宝贝食用。

小贴士

吻仔鱼多见于我国台湾省，其身形细长、很像泥鳅，但是呈透明状，是由各种鱼类的幼仔鱼组成，主要是鳀鱼类和沙丁鱼类鱼苗。长至两岁大、体长3~4公分时，就会自然死亡。新鲜的吻仔鱼不易保存，要及时蒸煮食用，味道非常鲜美。宝贝常吃吻仔鱼，有利于健脾开胃。若市面上找不到吻仔鱼，可选用类似的鱼苗种类代替。

8个月以上

番茄吐司泥

食材 番茄……1/4个

吐司……1/4片

鸡骨高汤……100毫升

做法

1 番茄洗净，去皮去籽后切丁；吐司切小丁，备用。

2 将鸡骨高汤加热，放入番茄丁，煮约1分钟，再加入吐司丁，煮至番茄变软后，即可给宝贝食用。

小贴士

吐司，是英文toast的音译，就是烤制出来的一种长方形面包，含有蛋白质、脂肪、碳水化合物、少量维生素及钙、钾、镁、锌等矿物质，不宜给宝贝吃太多，做成泥状时应保证其足够松软。

蔬菜鸡肉麦片糊

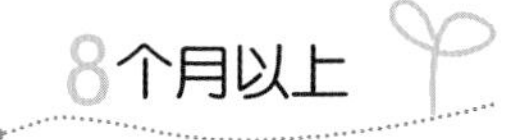

食材 白菜……1片

鸡胸肉……1片（60克）

速溶麦片……2大匙

鸡骨高汤……100毫升

小贴士

速溶麦片，若煮过后颗粒较大，则需搅打成宝贝容易食用的泥状。等到宝贝再大一点，吞咽动作成熟后，可省略搅打的步骤。

做法

1 白菜洗净，先用滚水焯至熟，捞起待凉后切细丝；鸡胸肉洗净后切小片，备用。

2 将鸡骨高汤加热，放入鸡肉煮熟，再放入速溶麦片泡开。

3 最后加入白菜丝，一起放入搅拌器里，搅打成泥状，即可给宝贝食用。

南瓜泥

8个月以上

食材 南瓜……200克

做法

1 南瓜去籽后，连皮切成块状，放入锅里，用中小火煮软后捞起。

2 用汤匙刮取南瓜肉，即可给宝贝食用。

7个月以上

白粥（稀）

食材 白米……2大匙

水……300毫升

做法

1 白米洗净，泡水30分钟后沥干水分。

2 加水，用大火煮滚，转小火续煮成糊状，即可给宝贝食用。

小贴士

辅食制作时，饮用水的问题需要留意。若怀疑家中的自来水不洁净，可在水龙头处装设滤水器或是净水器，透过洁净设备让饮水多一层保障；食谱中所提到的开水，皆指煮沸过后降温的可饮用水，亦可用矿泉水代替；煮白粥时可以一次性多煮一些，其稀稠度应随着宝贝的成长逐渐由稀至稠。

FUZZY RABBIT AND FAMILY
When the
sister and I have overflow with dinner this evening

7个月以上

玉米碎肉粥

食材 玉米渣……2大匙

猪肉馅……2大匙

白粥（稀）……1小碗

做法

将所有食材混在一起，煮至熟透，即可给宝贝食用。

小贴士

绿豆的蛋白质含量几乎是粳米的3倍，且富含多种维生素以及钙、磷、铁等矿物质，具有良好的食用和药用价值，有“济世之食谷”的美誉。在炎炎夏日，给宝贝喝绿豆汤或绿豆粥，可清热解毒，是极佳的消暑饮品。

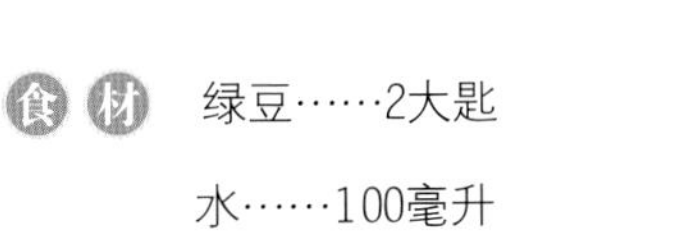

绿豆粥

7个月以上

食材 绿豆……2大匙

水……100毫升

白粥（稀）……1/2碗

做法

1 绿豆洗净，泡水30分钟后，沥干水分。

2 将绿豆与水一起煮至绿豆熟烂，再加入白粥拌匀，即可给宝贝食用。

菠菜牛肉面

9个月以上

食材 菠菜……4～5根

细面条……60克

牛肉丝……2大匙

做法

1 菠菜洗净后切成末，牛肉丝切成小段，细面条用剪刀剪成1.5厘米的段状，备用。

2 将水放入锅里加热，再放入牛肉丝、菠菜一起煮熟。

3 将面条放入滤网中，用水冲洗后放入锅里，等面条煮熟后，即可给宝贝食用。

小贴士

此道辅食，牛肉丝可以手工将牛肉撕成丝，也可买市面上现成的，其长度应根据宝贝的咀嚼能力来调整，也可用牛肉馅来代替牛肉丝。

鸡肉花椰菜面

食材 鸡胸肉……1片（60克）

花椰菜……2小瓣（40克）

细面条……60克

鸡骨高汤……200毫升

做法

1 花椰菜洗净后切成小段，鸡胸肉切成小片，细面条用剪刀剪成1.5厘米的段状，备用。

2 将鸡骨高汤放入锅里加热，再放入花椰菜、鸡肉，一起煮至熟软。

3 将面条用水冲洗后放入锅里，等面条煮熟后，即可给宝贝食用。

小贴士

花椰菜，又名菜花、甘蓝花、球花甘蓝，分为白、绿两种，绿色的通常叫西蓝花，比白花椰菜的胡萝卜素含量要高，非常适合宝贝食用。制作这道辅食时，花椰菜及鸡肉的大小需视宝贝的咀嚼能力调整，等宝贝适应后，再慢慢给予较大块的食材。

鲑鱼面

9个月以上

食材

鲑鱼……100克（剔除鱼刺）

细面条……60克

鲜鱼高汤……200毫升

做法

1 鲑鱼洗净，用滚水焯至熟，用筷子拨出小片，将鱼刺剔除干净；细面条用剪刀剪成1.5厘米长，备用。

2 将高汤放入锅里加热，再放入鲑鱼煮滚。

3 将面条用水冲洗后放入锅里，等面条煮熟后，即可给宝贝食用。

小贴士

鲑鱼又称三文鱼，是深海鱼类的一种，具有很高的营养价值和食疗作用。大马哈鱼是三文鱼的一个著名种群，盛产于我国的黑龙江省。给宝贝喂鱼类辅食时，应特别注意将鱼刺清除干净，在一周岁以前即使是很小的鱼刺也可能会给宝贝造成不小的困扰，千万不能大意。

小鱼丝瓜面

9个月以上

食材

吻仔鱼……1大匙（剔除鱼骨）

丝瓜……1段（60克）

细面条……60克

鲜鱼高汤……200毫升

做法

1 丝瓜去皮后切细丝，细面条用剪刀剪成1.5厘米的段状，备用。

2 将鲜鱼高汤放入锅里加热，再放入吻仔鱼，与丝瓜一起煮滚。

3 将面条用水冲洗后放入锅里，待面条煮熟后，即可给宝贝食用。

小贴士

此道辅食，丝瓜最好选用澎湖丝瓜，其纤维较细，不像一般丝瓜纤维较粗，可以去籽后切成小丁，方便宝贝咀嚼。市面上若没有吻仔鱼，可用类似的小鱼代替，注意去除鱼刺。

妈咪主厨的辅食喂养日志（二）

7个月大的宝贝，已渐渐学会如何用舌头压碎柔软的块状食物，小小的肠胃也能接受更多的新食物。那时，我经常为他煮一些有营养的蔬菜粥，或者将吐司剥成小块泡在主食里喂他吃，每天大约做两次糊状的半固体食物。每天我会观察和统计宝贝“嗯嗯”的状况，以此为基础适时调整辅食的添加方式。

这一阶段，我会给宝贝一些容易在口中软化的食物，比如磨牙棒或是小块的馒头，让他练习自己用手拿着吃，刚开始宝贝可能无法顺利地把食物放进嘴巴，可能边吃边掉，或者弄得满脸脏兮兮的，这是宝贝自我学习的过程，不要因为清洁上的不方便，就剥夺了宝贝主动学习的意愿。

等到9个月大，宝贝就能用牙龈咀嚼食物了，半固体食物的分量，可以适量增加到一天3次，喂奶次数则相应减少为4次，面条、鱼肉泥、豆腐、蒸蛋、煮软的碎蔬菜，都很适合宝贝食用。

宝贝食欲好，妈妈看见眼里，喜在心头。对这个时期的孩子来说，模样怎样、性格如何、天赋几何，我觉得都是次要的，每天能吃能喝、能跑能玩，就是宝贝最大的幸事和家长最大的满足。

惠玲

10～12个月 高段固体辅食菜单

- 10～12个月宝贝正常发育的动作及情绪表现
- 10～12个月宝贝日常护理要点
- 17道适合此阶段宝贝的精选辅食

10～12个月宝贝成长备忘录

10～12个月的宝贝，逐渐地开始不流口水了，上下门牙都长出来了，笑起来的模样特别可爱。这一阶段宝贝可以摇摇晃晃地迈着步子，记忆与模仿各种各样的表情和动作。与此同时，身高开始往上蹿，已不再是圆滚滚的样子，体形逐渐拉长，体重的增加变得很不明显。与刚出生时相比，现阶段的体重约为出生体重的3倍，身高约为1.5倍，宝贝已经从柔弱的小娃娃，变成可爱又“可恶”的小坏蛋啰。

宝贝生理指标	10～12个月宝贝性别及成长值	
身高（厘米）	男宝贝	75～78
	女宝贝	74～77
体重（千克）	男宝贝	7.8～10.5
	女宝贝	9.4～9.7
头围（厘米）	男宝贝	46.3～46.9
	女宝贝	45.2～45.6

注1：每个宝贝遗传因素不同，高矮胖瘦无固定标准，符合生长曲线即为发育正常。本表数值仅供参考。

1. 发育正常的动作表现

这一阶段的宝贝，对爬行的控制更加灵活了，前进和后退都难不倒他，对爬楼梯也产生兴趣，想不断冒险来满足好奇心；宝贝会顺着往上爬，也能倒着往下爬，在地上爬一下就会坐一下，或是扶着东西站起来，站起后也会想办法再坐下去，以脚先下的方式从沙发上下来。

10～11个月大的时候，宝贝会试着扶靠家具或墙壁，慢慢地往侧边跨步移动；11～12个月大时，则可以放手站立10秒钟；妈妈牵着宝贝的一只小手，宝贝就能站着往前走，但步伐可能会左右交替、摇摇摆摆，还没有办法像大人一般跨得很好，不过只要是在一周岁零3个月以前学会走路，都算是正常的发育表现。

这一阶段宝贝的手部动作更细微了，能用大拇指与食指捏起小东西；喜欢开抽屉、按电视开关、投球、堆积木，或者把餐巾纸一张张全部抽出来；小肌肉变得很有力，帮宝贝戴帽子他会用力扯下来；帮宝贝穿衣服，他的手脚会很快就伸出来；宝贝已经会自己捧着奶瓶或杯子喝奶了。

2. 发育正常的智力与情绪表现

10～12个月的宝贝，除了家中的亲人，还记得经常到家里做客的邻居朋友，或者在外面经常一起玩的小伙伴，记忆力又增进了一步。妈妈可以跟宝贝玩“猜猜玩具在哪里”的游戏：把小球放在手心里，然后合起手掌，让宝贝猜小球在哪里，宝贝会知道球在妈妈的哪只手上，但大概只记得一分钟以内发生的事。

虽然这个阶段宝贝还无法用言语说明想法，但已经能用手势与表情来表达，会正确地指出五官的位置，听到大人的赞美会很开心、很得意。爸爸妈妈还是要经常与宝贝说话，虽然宝贝不能正确发声，但是小脑袋瓜里可是将这些词汇记得很牢呢。

这一阶段要给宝贝提供多样化的游戏，启发宝贝的智慧；发展其肌肉神经，让宝贝自由涂鸦；给他有声响的音乐玩具；跟宝贝一同阅读鲜艳的图画书，宝贝尤其喜欢小动物图案，如果问他狗狗在哪里，他会很快指出来；爸爸妈妈要经常抽时间陪宝贝一起玩，让他觉得学习是最快乐的事。

11～12个月的宝贝，会突然说出一连串大人听不懂的话，也会像小鹦鹉般重复大人话语中的最后两三个字，模仿是宝贝学习成人化的行为表现。当庆祝完宝贝一周岁生日后，他就正式从婴儿迈入幼儿阶段了，个人特质会慢慢显现，也有了自己的主张，爸爸妈妈要适度尊重宝贝的意愿，建立宝贝的成就感与自信心，让宝贝以独立快乐的心态长大。

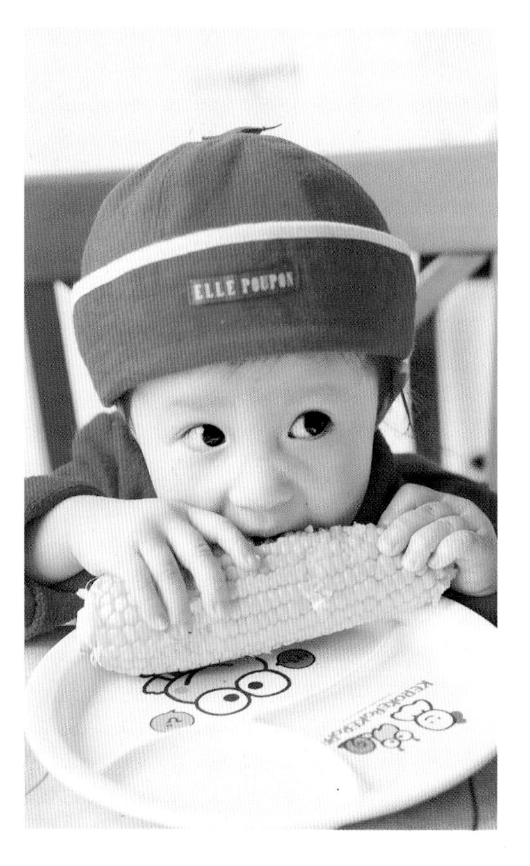

3. 宝贝的生活护理要点

10～12个月的宝贝，动作越来越快，稍一不留意就会爬到高处，妈妈要提防宝贝可能爬进洗衣机或是其他危险地点，或是突然就把手伸进电风扇或电源插座孔。由此，居家设施的安全保护非常重要：窗边不要摆放可攀爬的小椅子或纸箱；浴缸注水的时候记得把浴室门关上；不要让宝贝离开自己的视线范围；随时提醒宝贝什么事是危险的不可尝试的，用严肃正经的态度对宝贝说什么事“不行”“不可以”，宝贝已经能听得懂你的话了。

这一阶段宝贝虽然还小，但要教导他什么才是正确的行为，不要因为宠爱就放纵，不要觉得长大再教就好，当然也不要大声怒斥孩子，此时他还不能理解自己为什么做错。不妨让宝贝玩尽兴后，教宝贝一起收拾玩具，给予宝贝鼓励，培养他守规矩、自律的行为习惯。此外，正常的作息规律，可以在此阶段早早建立，早睡早起、定时定量，让宝贝实现健康成长。

10～12个月宝贝成长指标	具体表现
正常的动作表现	□ 爬行更灵活，前进和后退自如，对爬楼梯产生兴趣。 □ 能扶着东西（家具或墙壁）站起来，站起后也会想办法再坐下去。 □ 可以放手站立10秒钟；牵着大人的手，能站立往前走，步伐摇摇晃晃。 □ 手部动作更细微，能用大拇指与食指捏起小东西。 □ 会自己捧着奶瓶或杯子喝东西。
正常的智力与情绪表现	□ 会记得经常到家里做客的邻居朋友，或者在外面经常一起玩的小伙伴。 □ 能用手势与表情来表达，正确指出五官的位置，听到大人的赞美会很高兴、很得意。 □ 突然说出一连串大人听不懂的话，也会像小鹦鹉般重复大人的话语。
生活护理要点	□ 要经常与宝贝说话，抽时间多陪宝贝一起玩。 □ 提供多样化的游戏，让宝贝自由涂鸦，给宝贝有声响的音乐玩具，跟宝贝一同阅读鲜艳的图画书。 □ 告诉宝贝各种小动物图案，让宝贝指出来。 □ 适度尊重宝贝的意愿，建立宝贝的成就感与自信心。 □ 提防宝贝可能会爬进洗衣机或是其他危险地点，提防宝贝突然就把手伸进电风扇或电源插座孔。 □ 窗边不要摆放可攀爬的小椅子或纸箱；浴缸注水的时候记得把浴室门关上；不要让宝贝离开自己的视线范围；随时提醒宝贝什么事是危险的不可尝试的，用严肃正经的态度对宝贝说“NO”。 □ 宝贝玩尽兴后，教宝贝收拾玩具，给予鼓励。 □ 建立正常的作息规律，早睡早起，吃饭定时定量。

注1：10～12个月的宝贝成长发育状况不尽相同，动作、智力与情绪表现也有差异，本表为多数10～12个月宝贝成长的共性特点，作为各位家长的自查参考。有符合的请在“□”里勾选“√”。

4. 宝贝排便及长牙须知

10~12个月的宝贝，上下排中间各长出4颗门牙，此时最好能戒除宝贝睡前或夜间喝奶的习惯，宝贝含着塑料奶头入睡，睡眠时由于唾液分泌较少，食物会残留在口腔内，造成奶瓶性蛀牙，上颚门牙尤其容易蛀掉。

此阶段的宝贝，大约每天“嗯嗯”1~2次，若生活作息规律，便便的时间会差不多，可以在固定时间抱宝贝坐在马桶上让他便便，在清洁上较为方便。不过这并不表示宝贝已经能自主控制排便，通常要到1岁半至2岁，宝贝才能靠意志力控制排便，所以妈妈无需太早训练宝贝。若宝贝排斥坐马桶，或是超过5分钟都没有“嗯嗯”迹象，不用勉强，更不可责骂，毕竟宝贝的生理器官尚未完全发育成熟。

5. 宝贝成长的传统习俗

抓周：宝贝满周岁当天的“选才”仪式，是一种传统的中国式性向测验，除了祭拜祖先告知宝贝已经1岁了，也祈求宝贝能平安健康长大，外婆要送头尾（从头到脚穿衣帽和鞋子）表示祝贺。

抓周的主要过程是：将大约12种物品，如书、钱币、算盘、鸡腿、笔等放在四周，让宝贝坐在中间让他任意抓取，以此预测宝贝长大后会从事什么行业。例如“抓书”寓意孩子将来适合当老师；“抓算盘”寓意孩子适合从商，有理财的天赋；“抓笔”寓意孩子将来会当作家、画家；“抓钱币”寓意宝贝将来会很富有……其实，抓周对宝贝未来从事何种职业并无太大必然联系，这种仪式的趣味性很强，纪念意义反而更重要。

10～12个月宝贝辅食菜单

10～12个月宝贝每日辅食订餐表

	【汤品&糕点】	【肉蛋菜】	【粉&面】	【粥&饭】
早餐				
午餐				
晚餐				

妈咪主厨（签名）：

宝贝食客（签名）：

宝贝用餐满意度：☆ ☆ ☆ ☆ ☆

日期：________

10～12个月宝贝自选辅食单

○汤品糕点类	①芋头豆花　②芋头米粉汤　③哈密瓜奶冻　④莓干烤苹果
□肉蛋菜类	①豆腐肉丸　②番茄拌旗鱼丁　③青豆牛奶鸡肉　④冬瓜煮碎肉　⑤蒸蛋羹
△粉面类	①乌龙面　②肉酱通心粉　③香菇蔬菜面疙瘩
◇粥饭类	①白粥（浓）②四季豆粥　③猪肝菠菜粥　④滑蛋牛肉粥　⑤水果拌饭

“每日辅食订餐表+自选辅食单”使用说明

（1）针对10～12个月宝贝与妈妈亲子互动，旨在让辅食喂养变得轻松有趣，使妈妈有为宝贝下厨的欲望，也让宝贝在懵懂点餐时，对颜色、形状和数字有初步启蒙。

（2）妈妈可在电脑上制作空白的“每日辅食订餐表”，批量打印备用。

（3）每一餐辅食制作前，妈妈可主动询问宝贝，让宝贝翻看本章精美辅食图片，在“自选辅食单”的四类辅食中各选出一种菜品，然后妈妈用正确颜色的笔（蜡笔或水彩笔），画出正确的符号和数字，填写在“每日辅食订餐表”的对应栏目处。

例如，早餐一栏可这样填写——

	【汤品&糕点】	【肉蛋菜】	【粉&面】	【粥&饭】
早餐	○ 1	□ 2	△ 3	◇ 4

（4）宝贝吃完当天辅食后，妈妈应在“妈咪主厨（签名）”一栏签名；让宝贝在“宝贝食客（签名）”一栏，按下指印或手掌印；“宝贝用餐满意度”一栏有五颗空白的小星星，可根据宝贝意见，用红笔在上面涂满相应的几颗星，如满意度为四颗星，即涂写为“★★★★☆”；“日期”一栏，写下具体年月日。

（5）每日辅食订餐表填写完毕后，建议放入专用文件夹里归档整理，作为宝贝辅食喂养的记录，这也是妈妈和宝贝之间最值得回味的亲子记忆。

10个月以上

白粥（浓）

食材 白米……2大匙

水……150毫升

做法

1 白米洗净，泡水30分钟后沥干水分，加入水中用大火煮滚，转小火续煮成糊状。

2 熄火后盖上锅盖，焖约10分钟后，即可给宝贝食用。

小贴士

浓稠的白粥，比较适合10个月以上的宝贝。喂粥需要从稀到稠、循序渐进，煮粥时水的比例应逐渐减少，以适应宝贝的发育成长。

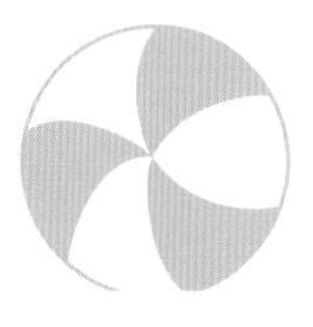

10个月以上

四季豆粥

食材　四季豆……2个

猪肉馅……60克

白粥（浓）……3/4碗

做法

四季豆洗净，摘去头尾，切成薄片碎丁，和猪肉馅、白粥一起煮熟即可。

小贴士

四季豆因地区不同而叫法不一，如豆角、芸豆、刀豆、扁豆、豇豆、菜豆等，是餐桌上最常见蔬菜之一。无论单独清炒，与肉类同炖，亦或是焯熟凉拌，都很符合大人和小孩的口味。此道辅食也可以用其他豆类代替。待宝贝的咀嚼功能发展更成熟时，可将四季豆切成小段，与粥一起煮熟。

10个月以上

猪肝菠菜粥

食材 猪肝……100克

菠菜……1根

白粥（浓）……3/4碗

做法

1 猪肝洗净后切末，菠菜洗净后切末，备用。

2 将所有食材一起入锅，用小火煮至熟透，即可给宝贝食用。

小贴士

猪肝最好切成小块，若切成大块，容易煮太久且不易吞咽。食材也可选用鸡肝及其他宝贝常吃的蔬菜替换。

滑蛋牛肉粥

12个月以上

食材 牛肉馅……60克

鸡蛋……1个

白粥（浓）……3/4碗

做法

1 鸡蛋打散成蛋液备用。

2 将白粥用小火煮滚，放入牛肉馅，煮至肉熟后倒入蛋液，等蛋熟透，即可完成。

小贴士

加蛋会让粥更浓稠，必要时可加一些高汤调整浓度。喂食时需注意粥的温度不宜太高。

12个月以上

香菇蔬菜面疙瘩

食材

香菇……2根
白菜……1片
胡萝卜……少许
鸡骨高汤……120毫升
中筋面粉……3大匙
蛋液……3大匙

做法

1 香菇洗净切小丁，白菜洗净后切小片，胡萝卜去皮后切细丝，备用。

2 中筋面粉与蛋液搅拌均匀，和为面团。

3 将鸡骨高汤煮滚，用小汤匙挖取小块面团，放入高汤中形成面疙瘩。

4 待面疙瘩浮起后，放入香菇、白菜、胡萝卜，煮熟后即可完成。

小贴士

面疙瘩的大小，可将面团放入高汤煮至定型时做调整，或是煮熟后用铁汤匙切成小块，再给宝贝喂食。

10个月以上

芋头米粉汤

食材 鸡骨高汤……200毫升

生芋头丁……140克

粗米粉……100克

芹菜末……少许

做法

1 鸡骨高汤煮滚后，加入芋头丁焖煮至软，再加入芹菜末，熄火备用。

2 粗米粉用剪刀切成约1厘米的小段，用滚水焯至熟。

3 捞起粗米粉沥干水分，放入汤中，即可完成。

小贴士

记得将芋头压散后再喂食宝贝，因为芋头表面温度较低，里面可能过烫，压散后能散热，避免烫着宝贝。

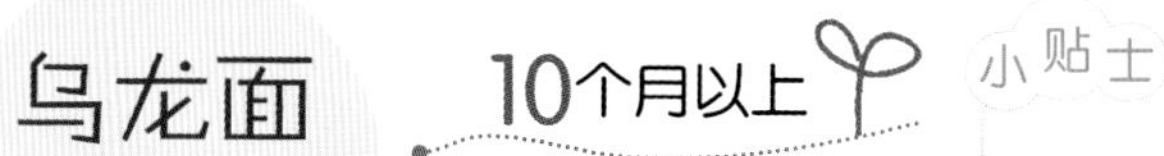

乌龙面

10个月以上

食材 乌龙面……100克

豆皮……1/2片

海带芽……少许

鲜鱼高汤……150毫升

做法

1 豆皮切细丁，乌龙面剪成小段，备用。

2 鲜鱼高汤煮滚后，将乌龙面放入煮熟，再加入豆皮、海带芽一起煮熟即完成。

小贴士

乌龙面，也称乌冬面，是一种以小麦为原料制造的面，在粗细和长度方面有特别的规定，味道特别。此道辅食，豆皮应选用非油炸过的，也可用切细的豆腐丝代替；海带芽是生长在海洋中的高营养蔬菜，含有大量的矿物质、维生素、纤维素、钙、钾、碘等，更容易让宝贝消化吸收，协助排便顺畅。

10个月以上

肉酱通心粉

食材 牛肉馅……200克

洋葱末……2大匙

蒜头……1瓣

番茄末……2大匙

胡萝卜末……2大匙

斜管面……10根

做法

1 斜管面用滚水煮熟捞起后，剪成三段备用。

2 蒜头洗净去皮后切末。

3 热油锅，加入洋葱末、蒜末爆香，放入番茄末、胡萝卜末、牛肉馅拌炒至熟。

4 把煮好的斜管面放入，拌炒均匀即可完成。

小贴士

斜管面是意大利的传统面食，可去普通超市中选购。此道菜肴很适合全家人食用，可依人数分量制作。肉酱炖煮入味后，取出小宝贝的分量即可。若特别爱吃番茄口味，可在最后适量添加调味。

水果拌饭

食材　草莓……1颗

奇异果……1片

香蕉……1片

芒果……1片

白粥（浓）……3/4碗

小贴士

水果可以用家里现成的取材，只要记得白粥放温后再加入现切的水果即可，此道辅食快速方便又很营养。

做法

1 草莓洗净后去蒂，切成细丁；其他水果也切成细丁，备用。

2 将多种水果丁与白粥一起拌匀，即可给宝贝食用。

10个月以上

蒸蛋羹

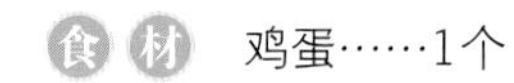

食材 鸡蛋……1个

做法

1 鸡蛋打散，搅拌均匀。

2 放入容器中，用中大火蒸约10分钟至熟，即可给宝贝食用。

小贴士

想要蛋羹蒸得嫩，可用凉开水蒸鸡蛋羹，或者先打好蛋液再加水。

10个月以上

豆腐肉丸

食材 豆腐……1/2块

猪肉馅……100克

太白粉……1大匙

葱末……少许

做法

1 猪肉馅放入不锈钢盆中甩打至有黏性，加入豆腐、太白粉、葱末搅拌均匀备用。

2 手掌略沾湿，捏取肉团，利用虎口挤出小肉丸，再用汤匙舀到容器中。

3 放入蒸锅中，用大火蒸约30分钟至熟，即可给宝贝食用。

小贴士

太白粉，即生的马铃薯淀粉，是目前家庭烹饪时常用的淀粉，是将马铃薯磨碎后揉洗、沉淀制成的。烹调上经常将太白粉加冷水调匀，加入炒好的菜肴中勾芡，使菜品看起来浓稠。太白粉勾芡的汤汁在放凉后会变得较稀，而玉米淀粉勾芡的汤汁在放凉后不会有变化。此道辅食可以训练宝贝的咀嚼能力。

番茄拌旗鱼丁

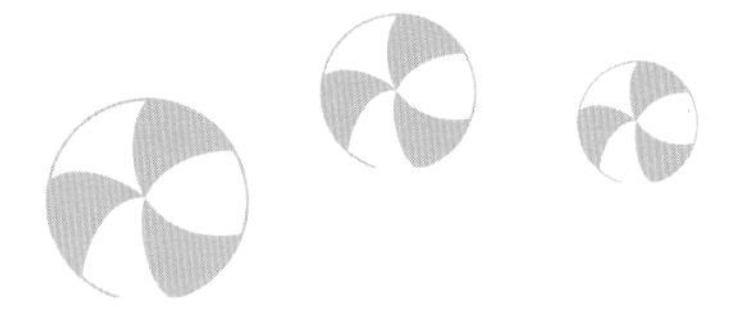

食材

大番茄……1/2个

旗鱼……1片（100克）

橄榄油……少许

做法

1 番茄洗净，在尾端轻划十字，放入滚水焯约3分钟取出，去皮后切小丁备用。

2 将旗鱼放入滚水中煮熟，取出稍凉后，切小丁或撕小片，剔除鱼骨。

3 将番茄丁与旗鱼丁拌匀，加入少许的盐、橄榄油，拌匀后即完成。

小贴士

旗鱼，又名芭蕉鱼，肉白多筋，肉质鲜美，营养价值非常高。此道辅食拌匀后可直接食用，也可利用微波炉再加热，是一道冷热皆宜、适合全家人食用的菜肴。

莓干烤苹果

10个月以上

食材 小苹果……2个

蔓越莓干……1大匙

柠檬汁……少许

做法

1 蔓越莓干切末，放入碗中，倒入可盖过莓干的牛奶浸泡。烤箱预热至180℃。

2 苹果洗净，从蒂头处切开一段，但不要丢掉，苹果籽用铁汤匙挖除。

3 将蔓越莓干填入苹果中间，并在果肉上挤少许柠檬汁，盖上蒂头，用牙签在苹果表面戳洞，再放入烤箱，烤约40分钟后，即可完成。

小贴士

蔓越莓又称小红莓，原产自北美洲，因产量稀少而珍贵，有“北美红宝石”的美誉，营养价值很高。超市中若买不到，可选用新鲜草莓或草莓干。在烤箱里烤得松软香甜的苹果，即使放凉了味道也不会变，很适合宝贝食用。

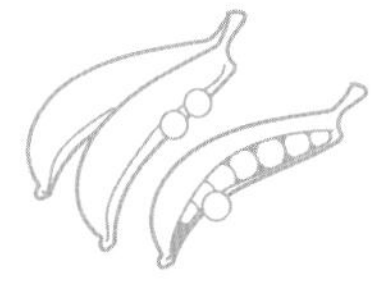

青豆牛奶鸡肉

10个月以上

食材 青豆……2大匙

鸡胸肉……100克

做法

1 青豆洗净后去除外膜，鸡胸肉切成小丁，备用。

2 将所有食材一起用小火煮至熟软，即可给宝贝食用。

小贴士

若因分量少不好操作，可利用微波炉将青豆加水先煮熟，沥干水分后，加入鸡肉一起煮熟。

冬瓜煮碎肉

10个月以上

食材 冬瓜……1/4片（200克）

猪肉……80克

蒜头……1瓣

橄榄油……少许

做法

1 冬瓜去皮切小块，猪肉切小丁，蒜头切末，备用。

2 锅烧热，倒入橄榄油，放入蒜末爆香，再加入猪肉拌炒均匀。

3 放入冬瓜，用小火煮至冬瓜熟软，即可给宝贝食用。

小贴士

此道辅食很下饭，可备多一些，取出宝贝的分量后，再调出大人喜欢的味道。

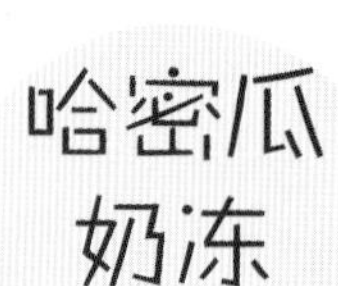

哈密瓜奶冻

10个月以上

食材 哈密瓜……400克

配方奶……150毫升

水……200毫升

胶冻粉……2大匙

做法

1 将哈密瓜、配方奶一起放入果汁机中，搅打成泥状备用。

2 加水煮滚后熄火，加入胶冻粉及哈密瓜泥，拌匀后倒入碗里。

3 待凉后，放入冰箱冷藏室，凝固后放到常温下一会儿，即可给宝贝食用。

小贴士

胶冻粉，是一种用于制作各种创意果冻的粉，可起到凝结的作用。若喜欢水果或配方奶味的话，可将水按一定分量以新鲜果汁或配方奶替代。

芋头豆花

12个月以上

食材

芋头……1/2个

黄豆……260克

水……1000毫升

豆花……70克

温开水……170毫升

做法

1 芋头洗净去皮后切小块，放入锅中，加入可盖过芋头的水量，用中小火焖煮至芋头熟透，即为芋头汤备用。

2 将豆浆用中小火煮滚，边煮边将浮渣捞出，约10～15分钟煮滚后熄火。

3 另准备一干净深锅，放入豆花和温开水调匀，加热至熟，盖上锅盖后静置放凉，即可凝结成豆花，再放入冰箱冷藏。食用前舀取适当分量放入碗中，加入芋头汤，即可给宝贝食用。

小贴士

芋头营养丰富，含有大量淀粉、矿物质及维生素，既是蔬菜又是粮食，可熟食、干制或制粉。芋头削皮后，若没有马上使用，必须浸泡于水中。最佳的削皮方法是在流动的水中削皮或戴手套处理，因为芋头的黏液会使皮肤过敏。此道辅食是为宝贝设计的食谱，如果大人想食用的话，可酌量添加糖水。

妈咪主厨的辅食喂养日志（三）

“什么样的节奏让宝贝最摇摆，什么样的新鲜事让宝贝乐开怀”，看着宝贝可以摇摇晃晃地跨着步子，能够记住、模仿各种声音、表情及动作，心中的喜悦就一直没有断过。

感觉我也是跟宝贝一样，不断接触新事物。宝贝虽然只有8颗门牙，但咀嚼能力已经大有进步，可以咬断任何松软的食物，也可以吃蛋糕、面包般软硬的固体食物，辅食种类的选择可谓是愈来愈丰富。

慢慢地，我发现宝贝总是将吃进去的食物，用口水软化后又吐出来，然后分成小口小口地吃。我想，宝贝要是吐在手上就随他去吧，不要太紧张；但如果是吐在地上，就要教他不可捡起来再吃。

顽皮的宝贝很容易分心，很少能乖乖地坐稳吃完一餐饭，肚子稍微饱就开始玩，也会把碗盘当玩具敲打。我会让宝贝坐在幼童餐椅中，将用餐时间控制在30分钟内，让宝贝养成用餐的好规矩是非常必要的。

“习惯就是习惯，谁也不能将其扔出窗外，只能一步一步地引下楼。”在喂宝贝辅食时，更应该有耐心地引导宝贝享受美食、吸收营养。

10～12个月
自选茶点套餐

- 给10～12个月宝贝制作茶点的小常识
- 10种适合此阶段宝贝的果汁饮品
- 6种适合此阶段宝贝的开胃糕点

给宝贝制作茶点的小常识

在每天的餐与餐之间（如上午10点、下午3点），应准时给孩子准备茶点，果汁、糕点是最方便的茶点选择。下面的一些小常识，是妈咪主厨制作茶点时应当注意的：

（1）不要给宝贝太多的糕点，以免下一顿正餐吃不下去。建议小宝贝只喝温开水或稀释后浓度较低的果汁。

（2）茶点是一周岁以前宝贝除主食和辅食之外的有益补充，通常每一次的分量都非常少，俗话讲“只是给宝贝的肚子溜缝”的。

（3）上午第一次制作的茶点，分量应是当天的量，剩下的留给余下几顿。若宝贝当天吃不完，可不要浪费，自己和家人喝掉或吃掉，可达到养颜美容及保健的功效喔。

（4）部分饮品是采用坚果制作的，坚果营养丰富，但其中某些成分容易造成宝贝过敏，对于有遗传性过敏体质的孩子，最好3岁以后再吃坚果类茶点。此外，坚果不易消化，对于肠道功能不好的孩子，也不建议摄取。

（5）当宝贝满4个月时，就可以给予稀释的饮品，观察其皮肤有无过敏以及粪便的情况。若宝贝在喝果汁1～2小时内，起小红斑点或排便呈现拉稀状，就要暂停饮用果汁，若状况仍未改善，需立刻带至医院诊疗。

（6）6个月以后，除了继续观察宝贝的皮肤以及粪便的情况，也要特别慎选水果，千万不要认为宝贝已经具有适应果汁的能力，就给予口感太强烈的品种，例如榴莲、荔枝、芒果等。最适合榨汁的水果，仍然是属性温和的苹果、柳橙、雪梨等。当宝贝满7个月时，建议给予单纯一种果汁。

（7）多数父母都期待宝贝能够一次性喝完饮品，但如果宝贝出现手推奶瓶或舌头往外推的动作，表示饮品已喝饱或目前不处于用餐的状态，此时不要强行去喂，等到下一次的茶点时间，再继续给宝贝吃可口的糕点和饮品。每个宝贝的食量并不相同，千万别在吃茶点的过程中有不愉快，否则宝贝潜意识里会产生排斥感。

10～12个月营养美味的茶点组合

10～12个月宝贝每日茶点订餐表		
	【果汁饮品】	【开胃糕点】
第一餐		
第二餐		
第三餐		

妈咪主厨（签名）：

宝贝食客（签名）：

宝贝用餐满意度：☆ ☆ ☆ ☆ ☆

日期：________

10～12个月宝贝自选茶点单	
○果汁饮品类	①红柚汁 ②小番茄汁 ③甜李汁 ④雪梨汁 ⑤奇异果汁 ⑥西瓜柳橙汁 ⑦樱桃汁 ⑧西洋梨汁 ⑨甜李红柚汁 ⑩草莓汁
□开胃糕点类	①烤地瓜 ②面包条 ③法式吐司 ④蔬菜蛋黄布丁 ⑤小饼干 ⑥蛋黄布丁

“每日茶点订餐表+自选茶点单”使用说明

（1）针对10～12个月宝贝与妈妈亲子互动，旨在让辅食喂养变得轻松有趣，使妈妈有为宝贝下厨的欲望，也让宝贝在懵懂点餐时，对颜色、形状和数字有初步启蒙。

（2）妈妈可在电脑上制作空白的“每日茶点订餐表”，批量打印备用。

（3）每一餐茶点制作前，妈妈可主动询问宝贝，让宝贝翻看本章精美辅食图片，在“自选茶点单”的两类茶点中各选出一种，然后妈妈用正确颜色的笔（蜡笔或水彩笔），画出正确的符号和数字，填写在“每日茶点订餐表”的对应栏目处。

例如，第一餐一栏可这样填写——

	【果汁饮品】	【开胃糕点】
第一餐	○ 1	□ 2

（4）宝贝吃完当天茶点后，妈妈应在“妈咪主厨（签名）”一栏签名；让宝贝在“宝贝食客（签名）”一栏，按下指印或手掌印；“宝贝用餐满意度”一栏有五颗空白的小星星，可根据宝贝意见，用红笔在上面涂满相应的几颗星，如满意度为四颗星，即涂写为“★★★★☆”；“日期”一栏，写下具体年月日。

（5）每日茶点订餐表填写完毕后，建议放入专用文件夹里归档整理，作为宝贝茶点用餐的记录，这也是妈妈和宝贝之间最值得回味的亲子记忆。

红柚汁

6个月以上

食材 红肉葡萄柚……1个

开水……30毫升

做法

1. 葡萄柚表皮洗净后擦干水分，对切成半，用榨汁器挤出葡萄柚汁，透过细滤网滤出纯净的葡萄柚汁。
2. 取60毫升葡萄柚汁与温开水混合，搅拌均匀后，即可给宝贝食用。

小贴士

葡萄柚，又称朱栾、西柚，原产自西印度群岛。市场上常见的葡萄柚有3个品种：果肉多为白色的无核葡萄柚；果肉多为白色的邓肯葡萄柚；果肉多为红色的汤姆逊葡萄柚。葡萄柚含有宝贵的天然维生素P和丰富的维生素C以及可溶性纤维素，可增强宝贝身体的解毒功能，同时增强体质。

小番茄汁

6个月以上

食材　小番茄……200克

温开水……60克

做法

1 小番茄表皮洗净后擦干水分，去蒂后切小块，放入果汁机内搅打均匀。

2 透过细滤网滤出纯净的番茄汁，取90毫升倒入果汁瓶，即可给宝贝饮用。

小贴士

小番茄，又称圣女果、樱桃小番茄，既可为蔬又可为果，也可以做成蜜饯，果实直径约为1～3厘米，鲜红碧透，味清甜，口感很好。圣女果中含有谷胱甘肽和番茄红素等特殊物质，可促进人体的生长发育，特别可促进宝贝的生长发育，增加身体抵抗力。

6个月以上

甜李汁

食材 甜李子……300克

温开水……30毫升

做法

1 选取味道甜的李子，表皮用削皮器削除干净，去核后切小丁，放入搅拌机内打成泥状，滤出纯净的甜李汁。

2 取60毫升甜李汁与温开水混合，搅拌均匀后，即可给宝贝食用。

8个月以上

西瓜柳橙汁

食材 西瓜……200克

柳橙……2个

做法

1 西瓜去籽后切小块；柳橙表皮洗净后擦干水分，对切成半，用榨汁器挤出柳橙汁。

2 将西瓜、柳橙汁放入榨汁机内，搅打均匀，即可给宝贝食用。

D.D.DUCK
D.D.DUCK

雪梨汁

6个月以上

食材 雪梨……1个

温开水……30毫升

做法

1 雪梨表皮用削皮器削除干净，去核去籽后切片，放入榨汁机内榨出雪梨汁。

2 取60毫升雪梨汁与温开水，搅拌均匀后，即可给宝贝食用。

奇异果汁

6个月以上

食材 奇异果……1个

温开水……120毫升

做法

1 奇异果表皮洗净后擦干水分，对切成半，以铁汤匙挖出果肉，放入果汁机内搅打均匀。

2 滤出纯净的奇异果汁，取90毫升与温开水混合均匀倒入果汁瓶里。

樱桃汁

8个月以上

食材　樱桃……300克

做法

1 樱桃表皮洗净后擦干水分，去蒂后对切成半，去核备用。

2 放入榨汁机内，榨汁后即可给宝贝食用。

8个月以上

西洋梨汁

食材 西洋梨……1个

做法

1. 西洋梨表皮用削皮器削除干净，去核去籽后切片。
2. 将切片的西洋梨放入榨汁机中，榨成汁即可给宝贝食用。

8个月以上

甜李红柚汁

食材 甜李子……1个

红肉葡萄柚……1个

做法

1. 甜李子表皮用削皮器削干净，去核后切小块；葡萄柚表皮洗净后擦干水分，对切成半，用榨汁器挤出葡萄柚汁。
2. 将甜李子与葡萄柚汁放入果汁机内搅打均匀，滤出纯净的果汁，即可给宝贝食用。

8个月以上

草莓汁

食材 草莓……200克

做法

1 草莓表皮洗净后擦干水分，去蒂后切小块。

2 将草莓放入榨汁机内搅打均匀，滤出纯净的果汁，即可给宝贝食用。

小贴士

有些水果（如鳄梨、奇异果等）在购买时尚未完全熟，此时须放置于温暖的室温下几天，待果肉成熟软化后，放入冰箱里冷藏保存。如果直接将未成熟的水果放入冰箱，则水果就成了所谓的“哑巴水果”，难以软化了。不过由于水果容易氧化，建议制作果汁饮品时，秉持现做现喝的原则，保证食材营养不流失。

12个月以上

法式吐司

食材 吐司……2片

蛋……1个

做法

1 吐司去边，每片沿对角线切成4个小三角形；蛋打散，拌匀成蛋汁备用。

2 吐司两面沾少许蛋汁，放到平底锅上，双面煎成金黄色即可。

小贴士

需等吐司稍凉后才能给宝贝食用，注意不可添加蜂蜜。

12个月以上

面包条

食材 吐司……2片

海苔粉……少许

做法

1 吐司去边，切成长条状，分别涂上少许海苔粉，放入烤箱。

2 以100℃的温度烤约5分钟，放凉后，即可给宝贝食用。

小贴士

此道辅食不宜涂抹各种果酱。

蛋黄布丁

9个月以上

食材　婴儿米粉……1小匙

配方奶……60毫升

蛋黄……2个

做法

1 将婴儿米粉、配方奶搅拌均匀后，加入蛋黄泥拌匀，放入容器里。

2 用中大火蒸约10分钟至熟，即可给宝贝食用。

小贴士

西洋梨，又称秋洋梨、洋梨、阳梨、巴梨、香蕉梨，香港俗称为“啤梨”，含有丰富维生素、植物纤维以及钾、钙、磷、铁等矿物质，所含糖分中多为果糖和葡萄糖，为宝贝强身提供基本营养，另含有苹果酸及柠檬酸，可解渴散热利尿，有助宝贝肠胃消化。

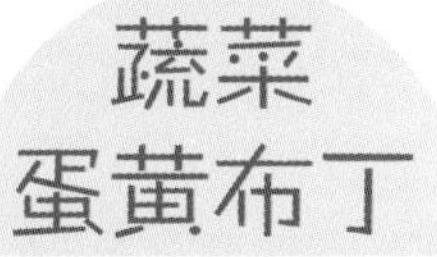

蔬菜蛋黄布丁

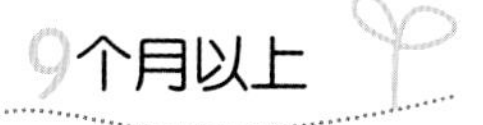

9个月以上

食材　三色蔬菜……3大匙

白粥……1/2碗

蛋黄……2个

做法

1 将三色蔬菜用水煮熟，捞起沥干水分后，用研钵捣成泥状。

2 将白粥、蛋黄及三色蔬菜泥拌匀，放入容器中，用中大火蒸约10分钟至熟即可。

小贴士

三色蔬菜，是指三种不同颜色的蔬菜，如胡萝卜、西蓝花与山药的搭配组合，制作此道辅食可自主挑选蔬菜品种，保证三色即可。

小·饼干

12个月以上

食材 蛋黄……1个

低筋面粉……200克

胚芽粉……3大匙

做法

1 蛋黄先打散，分两次加入不锈钢盆中，搅拌均匀。

2 低筋面粉过筛后，倒入不锈钢盆中，拌匀成面团，再把胚芽粉放入，拌匀备用。

3 将面团分割成适合的大小，再用手或擀面杖弄成扁圆状，放在铺有锡纸的烤盘上，用180℃烤约30分钟即可。

小贴士

烤好的饼干可以放入密封罐内，待凉后再盖紧盖子，可保存2周。此道辅食糖分较少。

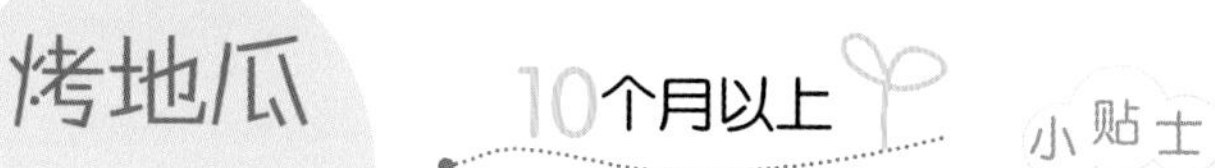

烤地瓜

10个月以上

食材 地瓜……1个（400克） 配方奶……1大匙

做法

1 地瓜洗净，放入烤箱以180℃烤约25分钟至熟，趁热去皮压成泥状，加入配方奶拌匀成团。

2 取适量地瓜团揉成小圆球，放在铺有锡纸的烤盘上，以150℃烤约10分钟。

3 从烤箱取出地瓜球后，即可给宝贝食用。

小贴士

地瓜，又名红薯、番薯、甘薯、山芋、甜薯等，含有丰富的淀粉、膳食纤维、胡萝卜素、多种维生素以及钾、铁、铜、硒、钙等十余种微量元素和亚油酸，营养价值很高，能够增强宝贝的抵抗力。

Postscript

后记

亲自下厨，用爱意填满宝贝的胃

不知不觉，我已经将4～12个月宝贝辅食喂养的内容全都告诉大家了，其中有我个人的喂养经验，也有特意向营养师朋友求教后的知识心得，希望对初为人母的妈妈们能够有一定的帮助。

喂还是不喂辅食？这几乎不是个问题，似乎妈妈们都比较认可4~6个月给宝贝喂辅食的重要性。那么，是否自己亲自下厨给宝贝制作辅食呢？妈妈们可能对此有不同的声音——有的妈妈认为市面上有许多方便快捷的辅食产品，直接购买后加工制作都非常方便；对于上班族妈妈来说，自己买食材亲自加工比较麻烦；对于厨艺一般的妈妈，一开始做出的辅食可能未必美味可口；对于比较懒的妈妈，家中有老人制作辅食似乎就已足够……对此，我个人的观点是因人而异，妈妈们可根据自己的实际情况，选择喂养辅食的方式，亲自下厨无疑是最理想的。

美食满足着宝贝的味蕾，为宝贝成长提供必要的养分，也无形之中传递着爱意。当你在厨房里忙碌后，为宝贝端上一顿亲自完成的辅食，他或许由于太小未必能够意识到什么，但当你一口一口喂他的时候，在他的心里肯定会有情感上的触动。

妈妈是宝贝最好的老师，也应该是宝贝最好的管家和私人主厨，尽可能地亲自下厨，用饱含爱意的美味辅食，填满宝贝的胃吧。

黄惠玲

北京市版权局著作权登记号　图字：01-2013-3011 号

图书在版编目（CIP）数据

宝贝，吃辅食啦：4 ~ 12 个月婴儿分阶辅食喂养书 / 黄惠珍著．
—北京：东方出版社，2013
ISBN 978 – 7 – 5060 – 6325 – 8

Ⅰ．①宝…　Ⅱ．①黄…　Ⅲ．①婴幼儿—食谱　Ⅳ．①TS972.162

中国版本图书馆 CIP 数据核字（2013）第 105770 号

宝贝，吃辅食啦：4 ~ 12 个月婴儿分阶辅食喂养书
（BAOBEI，CHI FUSHI LA：4 ~ 12 GE YUE YING’ER FENJIE FUSHI WEIYANG SHU）
黄惠珍　著

责任编辑：张　旭　王　欣　李典泰
出　　版：东方出版社
发　　行：人民东方出版传媒有限公司
地　　址：北京市东城区朝阳门内大街 192 号
邮政编码：100010
印　　刷：北京汇林印务有限公司
版　　次：2013 年 6 月第 1 版
印　　次：2013 年 6 月北京第 1 次印刷
开　　本：710 毫米 ×1000 毫米　1/16
印　　张：10
字　　数：138 千字
书　　号：ISBN 978 – 7 – 5060 – 6325 – 8
定　　价：39.80 元
发行电话：（010）65210059　65210060　65210062　65210063

致准妈妈和新妈妈——

从一周忙碌的工作中，
从周末忙碌的扫货、SPA、看电影中，
省出那么一点点时间，
改变“让老人或保姆全天候带孩子”的惯例，
与我们一起对宝贝倾注多一点爱，
保证每周至少亲自下厨一次，
用爱意填饱宝贝的胃！

“书中所列出的美味菜肴，都是作者亲手给其宝贝制作过的，值得新手妈咪学习。”

——原北京协和医院儿科营养专家

“在饮食中添加的每一道辅食、每一片菜和每一块鱼肉，都倾注着惠珍对宝贝无微不至的体贴与呵护。”

——台湾省行政院卫生署基隆医院营养师 张皇瑜

“尽管两岸在文化背景、气候地域、生活习惯等方面有所不同，但对于宝贝的爱、对宝贝养和育的基本理念是一脉相通的。希望内地的妈妈能有幸读到此书。”

——台湾省行政院卫生署基隆医院营养师 杨惠乔

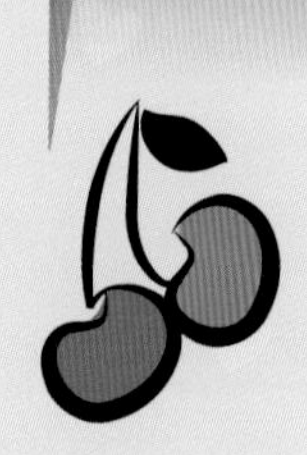

◆ 她来自宝岛台湾，是一位有理想追求的妈咪主厨。

◆ 为完成开一家中餐馆的梦想，她曾**留学美国参加餐饮业进修**，藉由专业培训掌握烹饪技巧，**获得专业米其林三星级厨师资格认证**。

◆ 这是她首次将育儿经与“**黄氏辅食餐**”，配以精美的图文与大陆的新妈妈分享。

◆ 请妈妈们与“妈咪主厨”黄惠珍女士一起，为宝贝烹饪心仪可口的辅食吧！

黄惠珍